J. Dwight Pentecost

Die Gleichnisse Jesu verstehen

Fragen, Lösungen und Hintergrundinformationen

Über den Autor

J. Dwight Pentecost (Jg. 1915) ist außerordentlicher (emeritierter) Professor für Biblische Exegese am Dallas Theological Seminary. Während seiner langen akademischen Laufbahn hat er fast ein halbes Jahrhundert über biblische Themen gelehrt. Seine mehr als 20 Bücher hat er meist allgemein verständlich für den einfachen christlichen Leser verfasst. Neben seiner akademischen Tätigkeit war er Pastor in verschiedenen Gemeinden. Bis in sein hohes Alter unternahm er weltweit Reisen und übte in vielen Ländern der Erde seine Lehrtätigkeit aus.

J. D. PENTECOST

DIE GLEICHNISSE JESU *verstehen*

Fragen, Lösungen und Hintergrundinformationen

J. Dwight Pentecost
Die Gleichnisse Jesu verstehen
Fragen, Lösungen und Hintergrundinformationen

Best.-Nr. 271925
ISBN 978-3-86353-925-2
Christliche Verlagsgesellschaft Dillenburg

Best.-Nr. 180237
ISBN 978-3-85810-630-8
Verlag Mitternachtsruf, www.mnr.ch

Titel des amerikanischen Originals:
The Parables of Jesus

Es wurde folgende Bibelübersetzung verwendet:
Elberfelder Bibel 2006, © 2006 by SCM R.Brockhaus in der
SCM Verlagsgruppe GmbH Witten/Holzgerlingen.

3. Auflage 2024

www.cv-dillenburg.de

Übersetzung: Oliver Roman, Urbach
Satz und Umschlaggestaltung:
Christliche Verlagsgesellschaft Dillenburg

Druck: GGP Media GmbH, Pößneck
Printed in Germany

Wenn Sie Rechtschreib- oder Zeichensetzungsfehler entdeckt haben,
können Sie uns gern kontaktieren: info@cv-dillenburg.de

Inhalt

Vorwort 9

Einführung 11

1. **Der Arzt** 25
   Lukas 4,23

2. **Das geflickte Tuch und die Weinschläuche** 28
   Matthäus 9,16-17; Markus 2,21-22; Lukas 5,36-39

3. **Die blinden Führer** 31
   Matthäus 7,3-5; Lukas 6,39-42

4. **Der kluge und der törichte Bauherr** 34
   Matthäus 7,24-29, Lukas 6,39-42

5. **Kinder auf den Marktplätzen** 37
   Matthäus 11,16-19; Lukas 7,29-35

6. **Die zwei Schuldner** 39
   Lukas 7,41-50

7. **Gleichnisse, die Jesu Anspruch beweisen** 43
   Matthäus 12,22-30; Markus 3,22-27

8. **Das leere Haus** 46
   Matthäus 12,43-45

9. **Gleichnisse über die neue Gestalt des Reiches** 49
   Matthäus 11,16-19; Lukas 7,29-35

   Der Sämann, die Saat und die verschiedenen Böden 54
   Matthäus 13,3-23; Markus 4,3-25; Lukas 8,15-18

   Die aufwachsende Saat 57
   Markus 4,26-29

   Das Unkraut des Ackers 59
   Matthäus 13,24-30

Das Senfkorn 62
Matthäus 13,31-32

Der unters Mehl gemengte Sauerteig 65
Matthäus 13,33

Der im Acker verborgene Schatz und die kostbare Perle 68
Matthäus 13,44-45

Das Netz 71
Matthäus 13,47-50

10. Der Hausherr 73
Matthäus 13,52

11. Der unbarmherzige Knecht 75
Matthäus 18,21-35

12. Der gute Hirte 79
Johannes 10,1-18

13. Der barmherzige Samariter 83
Lukas 10,30-37

14. Der beharrliche Freund 89
Lukas 11,1-10

15. Der reiche Narr 93
Lukas 12,16-21

16. Von treuen und untreuen Knechten 98
Lukas 12,35-40

17. Der unfruchtbare Feigenbaum 101
Lukas 13,6-9

18. Plätze bei einem Hochzeitsmahl 105
Lukas 14,7-11

19. Das große Festmahl 108
Lukas 14,16-24

20. Vom Turmbau und vom König, der einen Krieg führen will 113
Lukas 14,25-33

21. Der suchende Hirte, die suchende Frau und der suchende Vater 117
Lukas 15,1-32

22. Der kluge Verwalter 128
Lukas 16,1-13

23. Der reiche Mann und der arme Lazarus 132
Lukas 16,19-31

24. Der unnütze Sklave 137
Lukas 17,7-10

25. Der ungerechte Richter und die beharrliche Witwe 140
Lukas 18,1-8

26. Der Pharisäer und der Zöllner 143
Lukas 18,9-14

27. Die Arbeiter im Weinberg 149
Matthäus 20,1-16

28. Die anvertrauten Pfunde 154
Lukas 19,11-27

29. Die ungleichen Söhne 159
Matthäus 21,28-32

30. Die Weingärtner 162
Matthäus 21,33-44

31. Das Hochzeitsmahl 166
Matthäus 22,1-14

32. Der Feigenbaum 171
Matthäus 24,32-34

33. Der Türhüter 175
Markus 13,33-37

34. Der wachsame Hausherr und der treue Knecht 177
Matthäus 24,42-51

35. Die zehn Jungfrauen 180
Matthäus 25,1-13

36. Die anvertrauten Talente 184
Matthäus 25,14-30

37. Die Schafe und die Böcke 186
Matthäus 25,31-46

38. Die Lehre vom Reich Gottes in den Gleichnissen 191

Das Angebot des Reiches 191

Die Zurückweisung des Angebots 195

Der zeitliche Aufschub des Reiches 196

Das Gericht über diese Generation wegen ihrer Zurückweisung des Messias 197

Die neue Form des Reiches 198

Ermahnung angesichts der Wiederkunft Jesu, um das Tausendjährige Reich zu errichten 202

Ereignisse, die auf die Errichtung des Tausendjährigen Reiches vorbereiten 203

Das Leben im Reich 206

Vorwort

Die Gleichnisse Jesu haben seit Langem Ausleger herausgefordert und Prediger angeregt, da in ihrer einfachen Form tiefste Wahrheiten offenbart worden sind. Doch gerade diese Einfachheit wurde für die Ausleger zu einer trügerischen Falle. Eine Untersuchung verschiedener Veröffentlichungen zeigt, dass viele statt der Betrachtung der Kontexte, in denen die Gleichnisse entstanden sind, und des Hintergrundes, vor dem sie erzählt wurden, die Gleichnisse in bereits vorhandene Wahrheiten zwängten, die sie als Ausleger in ihren Köpfen hatten, die jedoch nicht dem Text selbst entstammten. Einige hauptberufliche Prediger wandten eine allegorische Auslegungsmethode an, um Gemeinden mit ihren Fähigkeiten zu beeindrucken, Wahrheiten in den Worten Jesu zu entdecken, die bis dahin unentdeckt waren. Es wird oft übersehen, dass es der Hauptzweck der Gleichnisse war, diejenigen zu unterweisen, denen die Gleichnisse ursprünglich erzählt wurden.

In dieser kurzen Arbeit wird der Versuch gemacht, durch eine Untersuchung der Kontexte, in denen die Gleichnisse erzählt wurden, und des Hintergrundes, vor dem sie vermittelt wurden, die grundlegenden Wahrheiten zu entdecken und darzustellen, die der Herr mitzuteilen versucht hat. Da die Gleichnisse in erster Linie für die Unterweisung konzipiert waren, wird der Schwerpunkt eher auf die Lehre als auf die Anwendung gelegt werden. Eine korrekte Anwendung kann nur erfolgen, wenn sie auf einer korrekten Auslegung beruht. Das Anliegen des Verfassers ist es, die Worte des Herrn zu interpretieren, um seine Unterweisung zu entdecken.

Es ist der Wunsch des Verfassers, dass der Leser zu einem klareren Verständnis der Wahrheit kommt, die in den Gleichnissen enthalten ist, und zu einer tieferen Liebe dessen, von dem gesagt wurde: „*Niemals hat ein Mensch so geredet wie dieser Mensch*“ (Joh 7,46).

Einführung

Stilfiguren sind ein Teil jeder Sprache. Sie verschönern und bereichern die Sprache. Wie nüchtern wäre das Hohelied, wenn die Liebenden ihre Liebe nicht in den reichen Wendungen ausgedrückt hätten, die sie gebrauchten! Doch Stilfiguren verzieren nicht nur die Sprache, sie leisten mehr. Sie sind das Mittel, durch das abstrakte Ideen mitgeteilt werden. Indem Gedanken aus einem vertrauten Gebiet in ein unbekanntes Terrain übertragen werden, lernt man Wahrheit im Unbekannten durch das, was einem im Bekannten bereits vertraut ist. Die Hauptfunktion der Stilfiguren besteht also darin, Gedankengänge mitzuteilen. Ganz gleich, ob die Stilfigur nun einfach oder komplex ist, sie hat stets diese eine Grundfunktion.

Es gibt in der Heiligen Schrift verschiedene Stilfiguren, die als „Gleichnis" bezeichnet werden. Im Alten Testament wird beispielsweise das hebräische Wort *maschal*, das manchmal mit „Gleichnis" übersetzt wird, eigentlich in vielen unterschiedlichen Bedeutungen verwendet. Ein guter Hinweis oder ein weiser Rat wird Gleichnis genannt (4Mo 23,18; Hi 27,1; Ps 49,4; 78,2), wenn er der Dummheit des Dummen gegenübergestellt wird (Spr 26,7.9). Eine prophetische Botschaft wurde ebenso Gleichnis genannt (4Mo 24,15) wie eine Gerichtsbotschaft (Mi 2,4; Hab 2,6) . Die Leute, denen Hesekiel seine Botschaft brachte, verwarfen seine Warnungen und Ermahnungen, indem sie fragten: *„Redet er nicht in Gleichnissen?"* (Hes 21,5). Es wird darauf hingewiesen, dass, obwohl das Alte Testament das Wort Gleichnis in einer Vielzahl von Bedeutungen verwendet, bei jeder dieser Bedeutungen im Mittelpunkt steht, dass ein zentraler Gedanke vom Sprecher zum Hörer übermittelt werden soll.

Auch im Neuen Testament wird das Wort „Gleichnis" für viele verschiedene Stilfiguren verwendet. Ein Gleichnis kann die Form eines Vergleichs haben, bei dem eine Ähnlichkeit festgestellt wird. Jesus sagte: *„Siehe, ich sende euch wie Schafe mitten unter Wölfe; so seid nun klug wie die Schlangen und einfältig wie die Tauben"* (Mt 10,16). Der Gebrauch von „gleich" oder „wie" bestimmt eine Stilfigur als einen Vergleich.

Das Gleichnis kann die Form einer Metapher haben, die unterschwellig einen Vergleich enthält. Zum Beispiel sagte Jesus: *„Ich bin die Tür der Schafe"* (Joh 10,7).

Das Gleichnis kann die Form eines Gleichnisses im eigentlichen Sinne annehmen. Bei dieser Stilfigur wird eine Übertragung aus einem bekannten Bereich vorgenommen. Sie basiert auf dem, was man normalerweise tut, nicht auf dem, was eine bestimmte Person wirklich tat. Als Jesus sagte: *„Das Reich der Himmel gleicht einem Sauerteig, den eine Frau nahm und unter drei Maß Mehl mengte, bis es ganz durchsäuert war"*, verwendete er ein Gleichnis im eigentlichen Sinne. Jeder, der weiß, wie man Brot backt, kann aus diesen Worten Wahrheit lernen, weil dieser Vorgang so alltäglich ist.

Das Gleichnis kann die Form einer Erzählung annehmen. Anstatt wie in einem Gleichnis im eigentlichen Sinne Wahrheit auf der Grundlage dessen zu übertragen, was man normalerweise tut, ist das erzählende Gleichnis spezifisch; es überträgt Wahrheit, indem es einen besonderen Vorfall heranzieht und die Aufmerksamkeit darauf lenkt, was eine bestimmte Person tat. So leitete Jesus drei Gleichnisse folgendermaßen ein: *„Ein Mensch hatte zwei Söhne"* (Lk 15,11), *„Es war ein reicher Mann"* (Lk 16,1) und *„Es war ein Richter in einer Stadt"* (Lk 18,2). Das erzählende Gleichnis war die Stilfigur, die Jesus am häufigsten verwendete, um seinen Hörern Wahrheit zu vermitteln.

Da Sprichwörter ebenfalls durch Übertragung lehren, wurden sie manchmal auch Gleichnisse genannt (z. B. Lk 6,39). In Lukas 4,23 wird das Wort *parabole* mit „Sprichwort“ übersetzt. Eine andere Übersetzung der Grundbedeutung von *parabole* ist „Gleichnis“ (Mt 24,32; Mk 13,28; Hebr 9,9; 11,19).

Das erzählende Gleichnis findet sich auch im Alten Testament. Um das Urteil über David wegen seiner Sünde mit Batseba zu überbringen, gebrauchte Nathan ein erzählendes Gleichnis, in dem er Davids Sünde an einem Fallbeispiel rekonstruierte (2Sam 12,1-4). Dieses erzählende Gleichnis nahm die Form vieler Gleichnisse unseres Herrn vorweg.

Obwohl sich jedes der oben genannten Gleichnisse vom anderen unterscheidet, sind sie sich alle darin ähnlich, dass die zu lernende Wahrheit auf einer Übertragung aus dem realen Leben beruht. Der Inhalt ist jedes Mal bekannt und liegt im Bereich des Möglichen.

In einem Gleichnis wird nicht versucht, etwas aus einem unbekannten Bereich in einen anderen unbekannten Bereich zu übertragen; die Übertragung geschieht stets vom Bekannten zum Unbekannten.

Bei einer Allegorie wird – im Gegensatz zu einem Gleichnis – eine Geschichte konstruiert, die nicht auf der Wirklichkeit gründet. Die Übermittlung mit Hilfe einer Allegorie hängt daher nicht von einer objektiven Realität, sondern von dem subjektiven Gebrauch der Vorstellungskraft des Hörers ab. Es gibt mehrere Beispiele für allegorische Übermittlung im Alten Testament. So wurde Hesekiel befohlen: *„Menschensohn, gib ein Rätsel auf und rede ein Gleichnis zum Haus Israel“* (Hes 17,2). Der Prophet beabsichtigte, die Invasion Jerusalems durch Nebukadnezar und die darauf folgende Deportation des Volkes nach Babylon zu skizzieren. Dies tat er, indem er eine Allegorie konstruierte, in der ein Adler den obersten Trieb vom Wipfel einer Zeder abbrach, ihn forttrug und in einem neuen Land einpflanzte. Diese ganze Erzählung ist eine Allegorie, weil sie der Natur widerspricht. Hier tut ein Adler, was Adler normalerweise nicht tun. Damit das Volk die Allegorie verstehen konnte, musste der Prophet seine Botschaft auslegen.

Ein anderes anschauliches Beispiel für eine Allegorie findet sich in Richter 9. Die Bürger von Sichem hatten Abimelech zu ihrem König gekrönt. Als Jotam hörte, was sie getan hatten, wies er sie zurecht, indem er eine Allegorie konstruierte. In anschaulicher Weise schilderte er, dass sich die Bäume des Waldes einen König suchten. Sie baten den Ölbaum, ihr König zu sein, doch der Ölbaum lehnte ab. Daraufhin baten sie den Feigenbaum, ihr König zu sein, aber auch der Feigenbaum lehnte ab. Dann trugen sie ihre Einladung dem Weinstock vor, doch auch der Weinstock lehnte ab. Zuletzt kamen sie zum Dornbusch und baten ihn, ihr König zu sein. Der Dornbusch stimmte unter der Bedingung zu, dass sich die Bäume seiner Autorität unterwarfen. Durch diese Allegorie offenbarte Jotam, dass die Leute von Sichem den Unwürdigsten unter ihnen zu ihrem König gewählt hatten. Diese Erzählung ist eine Allegorie, weil sie nicht auf der Wirklichkeit beruht. Sie steht im Gegensatz zur Natur, denn echte Bäume verhalten sich nicht wie die Bäume in der Erzählung. In einer Allegorie wird also die Wahrheit nicht durch die Übertragung aus dem bekannten Bereich auf einen unbekannten Bereich transportiert. Die Wahrnehmung der Wahrheit durch die Allegorie beruht auf dem Vorstellungsvermögen des Hörers statt auf der logischen Übertragung der Wahrheit aus der wirklichen Welt auf den unbekannten Bereich.

Eine Allegorie wird so konstruiert, dass die Wahrheit durch jeden einzelnen Teil der Allegorie gelehrt wird. Das erfordert vom Ausleger einer Allegorie, dass er sich mit jedem einzelnen Detail befasst. Im Gegensatz dazu ist ein Gleichnis dazu gedacht, *eine einzige* grundlegende Wahrheit zu lehren; die Details eines Gleichnisses können dabei völlig nebensächlich sein. Halten wir fest, dass der Herr Jesus Christus keine Allegorien als Stilmittel gebrauchte, um Wahrheit zu vermitteln.

Wie Jesus Gleichnisse verwendete

Während seines gesamten Dienstes betonte Jesus in großem Maße die Wichtigkeit seiner Worte. Dasselbe gilt für seine Wunder. Seine Worte waren ein wichtiger Beweis für seine Identität (Joh 8,28; 14,10). Ungefähr ein Drittel der Lehre Jesu, wie sie in den Evangelien berichtet wird, geschah in Form von Gleichnissen. Daher muss man sich die Frage stellen, warum Jesus diese Methode der Wahrheitsvermittlung so intensiv einsetzte.

Jesus selbst erklärte, warum er Gleichnisse in seiner Lehre verwendete (Mt 13,10-17). Das tat er, nachdem er das Gleichnis von dem Sämann, der Saat und den verschiedenen Ackerböden erzählt hatte; danach fragten ihn die Jünger: „*Warum redest du in Gleichnissen zu ihnen?*" Aus ihrer Frage geht hervor, dass sie erkannt hatten, dass er eine neue Lehrmethode anwendete. Ihre Frage ist interessant in Anbetracht der Tatsache, dass Jesus im Verlauf seines Dienstes schon zuvor eine Reihe von Gleichnissen erzählt hatte, wenn auch nicht von der Art des erweiterten erzählenden Gleichnisses. Jesus erklärte folgendermaßen, warum er erzählende Gleichnisse gebrauchte: „*Weil euch gegeben ist, die Geheimnisse des Reiches der Himmel zu wissen, jenen aber ist es nicht gegeben; denn wer hat, dem wird gegeben und überreichlich gewährt werden; wer aber nicht hat, von dem wird selbst, was er hat, genommen werden. Darum rede ich in Gleichnissen zu ihnen, weil sie sehend nicht sehen und hörend nicht hören noch verstehen; und es wird an ihnen die Weissagung Jesajas erfüllt, die lautet: ‚Mit Gehör werdet ihr hören und doch nicht verstehen, und sehend werdet ihr sehen und doch nicht wahrnehmen*'" (Mt 13,11-14). Jesus erklärte einerseits, dass er die Gleichnismethode in seiner Lehre gebrauchte, um einigen Wahrheit zu offenbaren, doch andererseits gebrauchte er sie, um die Wahrheit vor anderen zu verbergen. Es war eine gemischte Hörerschaft, die seine Lehre empfing; manche waren Gläubige und andere waren Ungläubige. Manche schenkten seiner Person und seinem Angebot Glauben, doch andere hatten seinen Anspruch, der Messias zu sein, abgelehnt. Es war unmöglich, diese beiden Gruppen zu trennen. Christus wollte Gläubige unterweisen, doch er wollte Ungläubigen nicht weitere Verantwortung aufbürden, indem er ihnen Wahrheit vermittelte, für deren Kenntnis sie verantwortlich gemacht werden würden.

Johannes der Täufer war den Juden als der Prophet von Gott erschienen, dessen Dienst es war, ihnen den Messias vorzustellen. Er rief das Volk zur Buße auf und dazu, sich darauf vorzubereiten, dem Messias zu begegnen und in sein Königreich zu gelangen. Ihre Früchte der Rechtschaffenheit würden die Echtheit ihrer Buße zeigen. Als Johannes seinen Dienst beendet hatte, bot sich Jesus selbst öffentlich dem in Erwartung stehenden Volk als der Messias an. Er bestätigte seinen Anspruch als Messias und sein Angebot des Gottesreiches durch die Wunder, die er tat. Matthäus 8–11 enthält einige der bestätigenden Wunder, die Jesus den Juden präsentierte. Während dieser Zeit erzählte Jesus nur einige wenige Gleichnisse.

In Matthäus 12 ist ein Wendepunkt im Leben Jesu erreicht. Weil er einen von einem Dämon besessenen blinden und stummen Mann befreite, brachten die Leute an dieser Stelle ihre Bereitschaft zum Ausdruck, ihn als Retter und Herrscher anzunehmen, indem sie sagten: *„Dieser ist doch nicht etwa der Sohn Davids?“* (V. 23). Im Griechischen wird auf die Frage zwar eine negative Antwort erwartet; trotzdem war der Beweis, den Jesus präsentierte, so hinreichend, dass das Volk ihn als Messias akzeptiert hätte, wenn nur die Führer des Volkes ihre Zustimmung dazu gegeben hätten. Angesichts einer solchen Haltung Christus gegenüber boten die Pharisäer eine andere Erklärung an. Sie lehnten es ab, dass Jesus seine Macht von Gott empfing und der von Gott gesandte Messias war; stattdessen behaupteten sie, dass er seine Macht von Satan empfing und daher nicht Israels Messias sein konnte. Der Unglaube der Führer

Israels bei diesem Ereignis nahm die endgültige Ablehnung Christi durch die ganze Nation vorweg, die zu seinem Tod am Kreuz führen würde. Jesus führte drei Beweise an, um zu zeigen, dass er seine Macht nicht vom Satan erhielt (Mt 12,25-29). Er sprach eine ernste Warnung aus, indem er bestätigte, dass das Volk ein schweres Gericht würde erleiden müssen, wenn es weiterhin der Deutung der Pharisäer Glauben schenkte. Die Pharisäer forderten daraufhin Jesus auf zu beweisen, dass er vom Himmel gekommen sei, durch etwas, was sie eindeutig nicht dem Satan zuweisen konnten. Jesus kündigte daraufhin das Zeichen Jonas an. Christi Auferstehung, die auf seinen Tod folgte, würde solch ein Zeichen sein, das Satan keinesfalls nachahmen konnte, und daher würde es ihn als Israels Messias bestätigen. Der Bericht vom Konflikt mit den Pharisäern schließt mit der Anmerkung, dass Jesu Mutter und Brüder am Rand der Menschenmenge standen und ihn zu sprechen wünschten. Jesus ignorierte ihre Bitte, weil sie allein auf ihrer leiblichen Verwandtschaft mit ihm beruhte. Sie waren durch Blutsbande mit ihm verbunden. Jesu Absicht zu dem Zeitpunkt war es jedoch zu zeigen, dass eine geistliche Glaubensbeziehung zu ihm notwendig war. Daher wies er diejenigen ab, die sich auf eine Blutsverwandtschaft mit ihm beriefen. *„Und er streckte seine Hand aus über seine Jünger und sprach: Siehe da, meine Mutter und meine Brüder! Denn wer den Willen meines Vaters tut, der in den Himmeln ist, der ist mein Bruder und meine Schwester und meine Mutter“* (V. 49-50). So wird in Matthäus 12 ein Hinweis darauf gegeben, dass die ganze Nation im Begriff war, Jesus als Messias abzulehnen, und ihn schließlich endgültig verwerfen würde, indem sie seinen Tod verlangte. Jesus wiederum machte deutlich, dass er ihre Entscheidung ernst nahm und sein Angebot des Königreiches, das er unterbreitet hatte, dieser Generation gegenüber zurückzog. Die Gottesherrschaft in ihrer Ausprägung als Königreich wurde auf eine spätere Zeit verschoben, wenn er in Macht und Herrlichkeit zurückkehren wird, um zu regieren.

Die Schlussfolgerung, dass sich die Gottesherrschaft als Königreich im Stadium der Verschiebung befindet, erklärt, warum Jesus die Wahrheit des königlich-messianischen Regierungsprogramms denen vermitteln wollte, die seiner Person Glauben geschenkt hatten und konsequent zu ihm gehörten. Hätte Jesus ohne den Gebrauch von Stilfiguren gesprochen, würden sowohl Gläubige als auch Ungläubige gehört und verstanden haben, was er sagte. Ungläubige hätten ein größeres Gericht auf sich geladen, weil sie trotz weitergehenden Wissens gesündigt hätten. Deshalb wählte Christus die Gleichnismethode zur Unterweisung. Indem er Gleichnisse verwendete, konnte Christus die Wahrheit vor Ungläubigen verbergen, um sie von der Verantwortung zu befreien, die erweitertes Wissen mit sich bringen würde; gleichzeitig konnte er aber Gläubigen die Wahrheit übermitteln.

Von diesem Zeitpunkt seines Lebens an bis zum Ende erzählte Jesus die meisten seiner Gleichnisse. Wenn es zwischen dem Zeitpunkt der Ablehnung Jesu und seiner Kreuzigung noch Wunder gab, dann waren sie nicht dazu gedacht, die Juden davon zu überzeugen, dass er der Messias war. Ihre Bedeutung muss im Licht von Israels unumkehrbarem Zustand der Ablehnung verstanden werden. Die Wunder waren dazu gedacht, die Wahrheit für Gläubige zu vermitteln, die anschließend durch die Worte und die Werke Christi gelehrt werden sollte.

Die Auslegung der Gleichnisse

Als Jesus Gleichnisse erzählte, die so gestaltet waren, dass sie Gläubigen Wahrheit vermittelte, erwartete er von den Gläubigen, dass sie die Gleichnisse verstanden, ihre notwendige Übertragung leisteten, um die Wahrheit aufzunehmen, die er zu übermitteln suchte. Es ist interessant anzumerken, dass von all den Gleichnissen, die erzählt wurden, nachdem die Führer des Volkes gezeigt hatten, dass sie Jesus als Messias ablehnten (Mt 12), nur zwei Gleichnisse von Jesus ausgelegt wurden. Es war das Gleichnis vom Sämann, der Saat und den verschiedenen Ackerböden und das Gleichnis vom Unkraut. Da dies eine neue Methode war, die Wahrheit zu übermitteln, legte Jesus diese beiden Gleichnisse aus, um ein Auslegungsmuster für all seine Gleichnisse zu schaffen. Die Tatsache, dass er seine darauf folgenden Gleichnisse nicht auslegte, zeigt, dass er von seinen Hörern voll und ganz erwartete, dass sie verstanden, was er lehrte. Das ist interessant angesichts der heutigen Verwirrung über die Wahrheit, die Jesus durch seine Gleichnisse zu vermitteln suchte, und der Vielzahl von Auslegungen, die es über sie gibt.

Um die Gleichnisse korrekt auszulegen, muss man bestimmte Grundsätze beachten. Der *erste Grundsatz*, den der Herr selbst festlegte, ist, dass die Gleichnisse vom *„Reich der Himmel"* handeln (Mt 13,11). Das Reich der Himmel ist die Sphäre, über die der souveräne Gott herrscht. Gott als Souverän hat das Recht, Autorität in der Verwaltung seiner Herrschaft zu delegieren. In alttestamentlichen Zeiten wurde die Gottesherrschaft zu verschiedenen Zeiten auf verschiedene Weise verwaltet. Als Adam im Garten Eden war, herrschte Gott unmittelbar über ihn. Gott wies Adam Autorität zu, und er erwartete von ihm, dass er Herrschaft in Gottes Namen ausübte. Nach dem Sündenfall herrschte Gott indirekt durch das Gewissen, das bezeugte, dass Gottes Gesetz in den Herzen der Menschen geschrieben worden war (Röm 2,15). In der Zeit nach der Flut herrschte Gott durch eine menschliche Regierung, indem er Statthalter einsetzte, die mit der Verantwortung betraut waren, Recht und Ordnung aufrechtzuerhalten und ein Klima zu schaffen, in dem rechtschaffene Menschen in Frieden leben konnten. Es lag im Verantwortungsbereich derer, die die Regierung verwalteten, Gottes Autorität auszuüben, selbst wenn dies den Tod eines Gesetzlosen bedeutete (Röm 13,1-7). Bei der Erwählung Abrahams plante

Gott in Bezug auf seine Herrschaft, dass sie sich in dem Volk, das sich aus den Nachkommen des Patriarchen bilden würde, entwickeln und durch Israel auf die ganze Welt ausgedehnt werden sollte. Gott wies Patriarchen, Richtern, Königen und Propheten als seine Verwalter in seinem Königreich Autorität zu. Damals versprach Gott, dass der endgültige Repräsentant göttlicher Herrschaft aus Davids Stammbaum hervorgehen, Davids Thron einnehmen und über Davids Königreich regieren werde. Also erwartete das Bundesvolk das Tausendjährige Reich als die höchste Form der Gottesherrschaft. Allerdings wurde im Alten Testament nicht deutlich offenbart, dass das Volk den Messias ablehnen und ihn zum Tode verurteilen wird, wenn er kommt und sich dem Volk als König anbietet, um den Bund durch die Aufrichtung des Königreiches zu erfüllen. Aufgrund der Ablehnung des Messias musste die Königsherrschaft Gottes zunächst zurückgestellt werden. Es war Gottes Plan, im jetzigen Zeitalter zwischen Israels Ablehnung und der zukünftigen Annahme des Messias eine neue Gestalt der Gottesherrschaft zu entfalten. Diese neue Gestalt sollte nicht die endgültige Erscheinungsform der Gottesherrschaft sein, sondern vielmehr eine vorläufige. Als Jesus in Mt 13,11 *„die Geheimnisse des Reiches der Himmel“* erwähnte, bezog er sich auf bisher unbekannte Einzelheiten über die Herrschaft Gottes, die nicht im Alten Testament offenbart, aber nun durch seine Unterweisung erhellt wurden. Es ist wichtig zu beachten, dass sich ein großer Teil der Lehre Jesu durch die Gleichnisse mit dieser neuen Form der Gottesherrschaft, nämlich dem Reich der Himmel beschäftigt. Viele der Gleichnisse des Herrn beginnen mit diesen Worten: *„Mit dem Reich der Himmel ist es wie“* (vgl. Mt 13,24.31 u. a.), was überdies zeigt, dass in den Gleichnissen vor allem das Programm der Königsherrschaft Gottes im Blick ist. Da das Konzept der Gemeinde innerhalb des Zeitrahmens entwickelt wird, der durch die Gleichnisse abgedeckt wird, und weil die Gemeinde ein Teil des Programms der Gottesherrschaft ist, haben viele Ausleger fälschlicherweise die Gleichnisse direkt auf die Gemeinde angewendet (als ob sie in erster Linie für die Gemeinde anwendbar wären). Doch wir dürfen nicht vergessen, dass die Gleichnisse erzählt wurden, um Wahrheit zu offenbaren, die das allgemeine Programm der Königsherrschaft Gottes betrifft.

Ein *zweiter wichtiger Grundsatz* bei der Auslegung ist, den unmittelbaren Kontext zu beachten. Gleichnisse wurden nie in einem Vakuum erzählt. Jedes Mal, wenn Jesus ein Gleichnis erzählte, erläuterte er eine Frage oder ein Problem, mit dem seine Hörer konfrontiert waren. Daher war jedes Gleichnis dazu gedacht, ein Problem zu lösen oder eine Frage zu beantworten. So war beispielsweise das Gleichnis vom beharrlichen Freund (Lk 11,5-7) Jesu Antwort auf die Bitte eines Jüngers: *„Herr, lehre uns beten“* (V. 1). Das Gleichnis vom reichen Mann und von Lazarus (Lk 16,19-31) wurde erzählt, weil die Pharisäer *„geldliebend waren“* und ihn *„verhöhnten“* (V. 14). Dieser Grundsatz gilt für alle Gleichnisse, ganz gleich, ob die Frage oder das Problem genannt, angedeutet oder nur von Jesus selbst erkannt wird. Der Ausleger muss daher den unmittelbaren Kontext untersuchen, um das Problem oder die Frage zu entdecken, auf die sich Jesus bezog. Sobald diese entdeckt sind, kann der Ausleger mit der Auslegung fortfahren, die wiederum eine Antwort auf das Problem geben muss. Wenn die Antwort nicht zu der Frage oder zu dem Problem passt, hat der Ausleger entweder die Frage falsch verstanden oder das Gleichnis falsch ausgelegt.

Dieser Grundsatz setzt der Auslegung Grenzen. Er wird verhindern, dass man sich seinem Einfallsreichtum hingibt, und er wird fantasievollen Höhenflügen bei der Auslegung Einhalt gebieten. Der Teil des Gleichnisses, der die Antwort auf die zugrunde liegende Frage oder das Problem enthält, darf ausgelegt werden. Und all die Aspekte, die unwesentlich sind und nichts zur Lösung beitragen, dürfen außer Acht gelassen werden. Es mag zuweilen vorkommen, dass das Problem oder die Frage nicht klar erkannt wurde, bevor man das Gleichnis auslegte; dann kann der Ausleger jedoch durch die Erforschung des Kontextes für gewöhnlich einen Hinweis auf das Problem oder die Frage finden, die dazu geführt haben, dass das Gleichnis erzählt wurde.

Hat man den weiteren Kontext bestimmt und die Grenze für die Auslegung des Gleichnisses aus dem unmittelbaren Kontext erkannt, kann man damit fortfahren, das Gleichnis selbst auszulegen. Das wird zu einem *dritten wichtigen Grundsatz* der Auslegung führen: Das Gleichnis selbst muss nämlich untersucht werden, um zu bestimmen, was genau der fragliche Vergleichspunkt ist. In dem Gleichnis von der beharrlichen Witwe (Lk 18,1-8) beispielsweise liegt die Betonung nicht auf der Person des Richters, sondern auf der Beharrlichkeit der Witwe. Wenn der Figur des Richters unnötig viel Aufmerksamkeit gewidmet wird, wird das Gleichnis falsch ausgelegt werden. Daraufhin müssen wir herausfinden, welche von den vielen Einzelheiten in dem Gleichnis relevant sind.

Es gibt einen *vierten Grundsatz*. Da ein Gleichnis Wahrheit aus einem bekannten in einen unbekannten Bereich überträgt, muss der Ausleger den Gegenstand oder den Sachverhalt des Gleichnisses genauestens untersuchen, auf den angespielt wird und von dem die Wahrheit übertragen werden soll. Man kann das Gleichnis vom Sämann nicht auslegen, solange man nicht den Vorgang der Aussaat gründlich verstanden hat. Man kann das Gleichnis vom neuen Wein in alten Schläuchen nicht verstehen, solange man nicht mit dem Vorgang der Weinproduktion zur Zeit Jesu gründlich vertraut ist. Es ist völlig unmöglich, die Wahrheit in einem Gleichnis zu entdecken, wenn wir unsere Kultur der Kultur der Umwelt Jesu überstülpen. Deshalb muss der Ausleger von Gleichnissen mit der Geschichte, Geografie, Kultur und den Gebräuchen der biblischen Zeit gründlich vertraut sein. Man muss lernen, so zu denken, wie es die Menschen taten, die zur Zeit des Herrn lebten. Daher wird ein Bibellexikon oder ein Buch über biblische Gebräuche bei der Auslegung von Gleichnissen ein Hilfsmittel von unschätzbarem Wert sein. Eine Schwierigkeit, der wir heute beim Auslegen von Gleichnissen gegenüberstehen, ist das Verstehen des Bezugsrahmens, in dem die Gleichnisse beheimatet sind. Dieser muss deutlich erkannt werden, bevor wir die Gleichnisse verstehen können. Diejenigen, die Jesus zuhörten, hatten diese Schwierigkeit nicht, denn sie lebten in dieser Kultur und waren gründlich mit ihr vertraut. Es gab für den Herrn keinen Grund, ihnen die Dinge zu erklären, auf die er sich bezog und auf die hin er seine Gleichnisse konstruierte. Um ein guter Ausleger zu sein, muss man versuchen, mit der Kultur, den Gebräuchen und dem täglichen Leben in Palästina ebenso vertraut zu werden wie diejenigen, die Jesus zuhörten.

Wenn man diese Vertrautheit erreicht hat, kann man damit fortfahren, die Gleichnisse auszulegen. Wenn der Ausleger die Struktur und Funktion einer Tür oder eines Tores kennt, wird er verstehen, was Jesus meinte, als er sagte: *„Ich bin die Tür“* (Joh 10,7). Der Ausleger wird wissen, dass Jesus offenbarte, dass er der Weg ist, durch den man Zugang zu Gott findet, und dass er denen Schutz und Sicherheit zuteilwerden lässt, die durch ihn zu Gott kommen. Darüber hinaus wird der Ausleger wissen, dass diejenigen, die in diese Sicherheit eintreten, die Freiheit finden werden und ein und aus gehen können. Wer sich gründlich mit der Arbeit des Hirten vertraut gemacht hat, wird verstehen, dass Jesus, als er sagte: *„Ich bin der gute Hirte“* (V. 14), offenbarte, dass er die Gläubigen als sein Eigentum beanspruchte; er wird sie führen, sie beschützen, ernähren und für sie sorgen, ganz nach ihren individuellen Bedürfnissen. Daraus wird klar erkennbar, dass man über die Ausdrucksform Bescheid wissen muss, bevor man durch eine solche die Lehre erkennen kann. Die eigentliche Wahrheit, die aus einem Gleichnis gelernt werden kann, hängt vom exakten Verständnis der Bezüge des Gleichnisses ab. Der Gebrauch einer Stilfigur erfordert keine bildhafte oder nichtwörtliche Auslegung. Vielmehr erfordert bildhafte Sprache eine wörtliche Auslegung vom bekannten Bereich hin zum unbekannten, wenn die Wahrheit der Stilfigur ermittelt werden soll.

Mithilfe dieser einfachen, aber notwendigen Grundsätze können wir mit der Untersuchung der Gleichnisse fortfahren. In jedem Fall wird der Kontext untersucht werden; danach werden wir im Licht des Kontextes versuchen, die ausgedrückte, angedeutete oder erkannte Frage oder das Problem zu entdecken, auf die das Gleichnis antwortet; und zuletzt werden wir das Gleichnis so auslegen, dass es die Frage oder das Problem beantwortet. Die Auslegung kann dann daran überprüft werden, ob sie die Frage beantwortet, die zu dem Gleichnis geführt hatte.

KAPITEL 1

Der Arzt

Lukas 4,23

Der Hintergrund

Nach einer besonders schweren Prüfung in der Wüste im Anschluss an seine Taufe im Jordan kehrte Jesus nach Nazareth zurück; wie er es am Sabbat gewohnt war, ging er in die örtliche Synagoge. Bei dieser Gelegenheit begegnete man ihm mit einer Höflichkeit, die man normalerweise einem Rabbi erwies, der zu Besuch war: Ihm wurde die Ehre zuteil, aus der Heiligen Schrift vorzulesen. Der ausgewählte Abschnitt, den er vorlas, war das Porträt des Messias, das sich in Jesaja 61,1-2 findet. Anstatt aber auf seinen Platz zurückzukehren, nahm Jesus die Rolle eines Rabbis ein und setzte sich, um die Schriftstelle auszulegen, die er vorgelesen hatte. Er erklärte, dass diese messianische Prophetie an diesem Tag erfüllt worden war, indem er sagte: *„Heute ist diese Schrift vor euren Ohren erfüllt"* (Lk 4,21).

Das Problem

Alle in der Synagoge waren außer sich. Für sie war es undenkbar, dass sich der Messias Israels an einem solch unbedeutenden Ort wie Nazareth vorstellen würde. Sie zweifelten Jesu Anspruch an, weil sie ihn lediglich für Josefs Sohn hielten, und sie dachten, der Sohn eines Zimmermanns könnte wohl schwerlich der Messias Israels sein. Also provozierte der Anspruch, den Jesus äußerte, in den Herzen der in der Synagoge Anwesenden eine Frage über die Person Jesu: Wer ist das, der einen solchen Anspruch stellte? Sie wollten einen Beweis, dass Jesus der Messias war, der er zu sein beanspruchte.

Die Lösung

Jesus wusste um das verborgene Aufbegehren und die Zweifel in den Herzen seiner Zuhörer und sagte: *„Ihr werdet jedenfalls dieses Sprichwort zu mir sagen: Arzt, heile dich selbst!"* (Lk 4,23). Das griechische Wort, das an dieser Stelle mit „Sprichwort" übersetzt wurde, wird im Neuen Testament normalerweise mit „Gleichnis" wiedergegeben (vgl. Mt 13,3.18 u. a.). Es geht um die Rolle des Arztes, der die Kranken heilt. Er dient nicht denjenigen, denen es gut geht. Das Sprichwort hielt die Erkenntnis fest, dass wenn jemand beansprucht, die Kranken heilen zu können, dann sollte er dies auch in Bezug auf seine eigenen Gebrechen tun. Wenn er sich also selbst nicht heilen konnte, würde er auch nicht von denen aufgesucht werden, die an derselben Krankheit litten.

Johannes der Täufer, der Vorbote des Messias, hatte sich an das Volk gewendet mit den Worten: *„Tut Buße! Denn das Reich der Himmel ist nahe gekommen."* In seinem öffentlichen Dienst verkündete Jesus dieselbe Botschaft (Mt 4,17). Johannes hatte ein Urteil über die Menschen gefällt, indem er sie als *„Otternbrut"* (Lk 3,7) bezeichnete. Ottern waren dem mosaischen Gesetz zufolge unreine Tiere. Demnach sah Johannes das Volk als sündig und unrein an, gemessen an Israels Gesetz und aus der Sicht Gottes. Er hatte sie ermahnt: *„Bringt nun der Buße würdige Früchte"* (V. 8) und seine Botschaft auf Menschen aus allen Schichten angewendet (V. 10-14). Die Botschaft von Johannes wurde weithin verbreitet, und zweifellos hatten diejenigen, die jetzt in der Synagoge in Nazareth saßen, verstanden, dass sie der Reinigung bedurften.

Die Menschen in Nazareth sahen in Jesus den unehelichen Sohn Josefs. Deshalb stellten sie ihm die rhetorische Frage: *„Ist dieser nicht der Sohn Josefs?"* (Lk 4,22). Als Jesus sich mit den Führern des Volkes auseinandersetzte, sagten diese: *„Wir sind nicht durch Hurerei geboren"* (Joh 8,41) und meinten damit: „wie du es bist". Also hielten die Menschen Jesus für eben solch einen Sünder, wie sie es selbst auch waren, und folgerichtig sahen sie ihn als einen, der ebenso wie sie Reinigung benötigte. Aus diesem Grund fragte Jesus bei einer anderen Gelegenheit unverblümt die Führer des Volkes: *„Wer von euch überführt mich einer Sünde?"* (Joh 9,46). Die Leute in der Synagoge von Nazareth erwarteten also, dass dieser selbst ernannte Messias das Werk des Messias tun sollte. Wenn er wirklich der Messias war, sollte er allen Reinigung und Vergebung der Sünden gewähren. Er sollte zeigen, dass er auch selbst der Buße würdige Früchte brachte, so wie Johannes es verlangt hatte. Wenn er beweisen konnte, dass er rein war, dann würden sie sich dazu berechtigt fühlen, seine Botschaft anzunehmen und sich an ihn zu wenden, um Vergebung zu erlangen.

Mit ihrem Wunsch, die Wunder zu sehen, die Jesus zuvor in Kapernaum getan hatte, verlangten die Menschen eine Bestätigung durch Wunder, dass er wirklich war, was er zu sein beanspruchte. Jesus jedoch weigerte sich, Wunder zu tun, stattdessen lud er sie ein, seiner Person Glauben zu schenken. Sie benötigten dieselbe Glaubensqualität, die die Witwe in Sarepta und der Syrer Naaman hatten, denen Gott seine Propheten gesandt hatte (Lk 4,26-27). Ohne Wunderzeichen wollten die Menschen dem Anspruch Christi nicht glauben; deshalb versuchten sie, ihn zu töten, indem sie ihn von einer Klippe stürzten. Also brachte Jesus in diesem Sprichwort-Gleichnis das Eingeständnis der Menschen zum Ausdruck, dass sie selbst der Reinigung bedurften; des Weiteren ihr Wissen, dass die Reinigung durch den Messias kommen wird; und schließlich ihre Skepsis gegenüber seinem Anspruch, der Messias zu sein. Als er sich von der Menge entfernte, nahm er den Tag vorweg, an dem die ganze Nation seine Person zurückweisen würde, so wie ihn diese Menschen hier zurückgewiesen hatten.

KAPITEL 2

Das geflickte Tuch und die Weinschläuche

Matthäus 9,16–17; Markus 2,21–22; Lukas 5,36–39

Der Hintergrund

Die Juden fasteten häufig. Es war ein Zeichen der Hingabe und Abhängigkeit von Gott; dazu gehörte das Gebet. Unter den Pharisäern war das Fasten zu einer rein äußerlichen Pflicht verkommen; man wollte die Menschen mit der eigenen Frömmigkeit beeindrucken. Johannes und seine Jünger fasteten auch, aber nicht nach der Art der Pharisäer. Für sie war es ein Zeichen ihres Glaubens an die Botschaft von Johannes, dass der Messias nahe war, der die Vergebung der Sünde bringen würde. Daher war ihr Fasten ein Bekenntnis, dass sie Reinigung brauchten.

Das Problem

Die Pharisäer beobachteten Jesus und seine Jünger, um zu sehen, ob sie die überlieferten Traditionen und Gebräuche einhielten. Sie sahen, dass weder Jesus noch seine Jünger fasteten. Da sie die Beziehung zwischen Johannes dem Täufer und Jesus erkannten und wussten, dass Johannes fastete, forderten die Pharisäer Jesus heraus: Warum fastet ihr nicht, weder du noch deine Jünger?

Die Lösung

Zur Beantwortung dieser Frage gebrauchte Jesus das Bild eines Hochzeitsfests. Nachdem die Braut zum Bräutigam geführt worden war, erschienen beide vor den versammelten Gästen, um die Eheschließung mit einem Hochzeitsfest zu feiern. Dieses Fest war eine Zeit der Freude und des Jubels. Jesus war in diesem Bild der Bräutigam und diese Generation der Juden die geladenen Gäste. Wer die Einladung des Bräutigams zum Hochzeitsmahl annahm, würde fröhlich kommen, um sich mit ihm zu freuen. Daher sagte Jesus Folgendes: Indem ich Israel das Reich anbiete, lade ich Menschen ein, sich mit mir zu freuen. Folglich sollte es zu dieser Zeit keine Trauer geben.

Das wiederum führte zu zwei weiteren wichtigen Fragen. Was war der Zusammenhang zwischen dem, was Johannes und Jesus dem Volk anboten, als sie das anbrechende Reich verkündigten? Und was wurde dem Volk unter dem Deckmantel des Pharisäertums dargeboten? Das Gleichnis beginnt mit einem alten, abgetragenen Kleidungsstück, das in seinem gegenwärtigen Zustand wertlos und nutzlos war. Man könnte einen Flicken auf ein solches Kleidungsstück nähen und für eine kurze Zeit seine Nutzbarkeit verlängern. Um das zu tun, würde man natürlich den Stoff nicht aus einem neuen Kleidungsstück schneiden. Wer dumm genug wäre, so etwas zu tun, verschnitt das neue Kleid und machte es unbrauchbar. Außerdem waren neue Kleidungsstücke aus ungetragenem Stoff gefertigt, der beim ersten Waschen einlief. Wenn man also einen neuen Flicken auf ein altes Kleidungsstück nähte, würde er beim Waschen einlaufen und von dem alten Stoff abreißen. Dann wäre das Loch größer als zuvor. Das würde dazu führen, dass das alte Kleidungsstück vollends zerrissen wäre.

Um diese Wahrheit noch weiter zu veranschaulichen, gebrauchte Jesus das Bild von Weinschläuchen, die aus den Häuten von Schafen oder Ziegen hergestellt wurden. Neue Weinschläuche waren sehr elastisch. Da sie sich beim Gärungsprozess erheblich ausdehnten, füllte man Traubensaft in neue Weinschläuche. Diese dehnten sich, wenn der Traubensaft zu Wein wurde. Einige Jahre lang blieben sie elastisch genug, sodass sie wieder und wieder verwendet werden konnten. Wenn ein Weinschlauch alt wurde, verlor er seine Elastizität. Füllte man also Traubensaft in einen alten, verhärteten Weinschlauch, ließ die Gärung diesen Weinschlauch platzen. Damit war nicht nur der Wein verloren, sondern auch der Weinschlauch dahin. Alte Weinschläuche warf man nicht weg, sondern füllte Wasser hinein.

Durch diese beiden Gleichnisse zeigte Jesus, dass die alten Traditionen, auf die die Pharisäer so viel Wert legten, nutzlos und veraltet waren. Es war unmöglich, sie durch etwas Neues auszubessern, um sie weiterhin einzuhalten. Jesus war nicht gekommen, um das Pharisäertum zu reformieren, sondern um eine vollkommen neue Lehre für das Leben des Volkes zu bringen. Jeder Versuch, die neue Lehre den alten Traditionen überzustülpen, würde nicht nur diese, sondern auch die neue Lehre zerstören. Deshalb vollzog Jesus eine klare Trennung zwischen sich und dem Pharisäertum. Er hatte dies schon zuvor getan, als er zu seinen Hörern sagte: *„Denn ich sage euch: Wenn nicht eure Gerechtigkeit die der Schriftgelehrten und Pharisäer weit übertrifft, so werdet ihr keinesfalls in das Reich der Himmel hineinkommen"* (Mt 5,20).

Jesus nahm die Antwort der Pharisäer auf sein Angebot des Reiches und seiner neuen Lehre vorweg, als er sagte: *„Und niemand will, wenn er alten Wein getrunken hat, neuen, denn er spricht: Der alte ist milde"* (Lk 5,39). Die Pharisäer waren mit ihren Überlieferungen zufrieden und hatten kein Bedürfnis, etwas daran zu ändern. Die beiden Gleichnisse stellten die unüberbrückbaren Gegensätze zwischen Jesus und dem Pharisäertum heraus.

KAPITEL 3

Die blinden Führer

Matthäus 7,3-5; Lukas 6,39-42

Der Hintergrund

Die Pharisäer mit ihren Schrift- und Gesetzeslehrern beanspruchten, in Fragen der Einhaltung des mosaischen Gesetzes höchste Autorität zu haben. Jesus hatte diesen Anspruch im Blick, als er sagte: „*Auf Moses Lehrstuhl haben sich die Schriftgelehrten und die Pharisäer gesetzt*" (Mt 23,2). Die Pharisäer verlangten ausdrücklichen Gehorsam ihren Lehren gegenüber, doch Jesus warnte davor, ihnen zu folgen (V. 3); es gab nämlich ein Missverhältnis zwischen ihren Lehren und ihrem Leben. Um zum Lehren fähig zu sein, muss man selbst die Wahrheit, die man lehrt, kennen und leben. Deshalb erzählte unser Herr dieses Gleichnis: „*Kann etwa ein Blinder einen Blinden leiten?*" (Lk 6,39).

Das Problem

In der Bergpredigt hatte Jesus die Gesetzlichkeit der Pharisäer als Mittel abgelehnt, durch das man Gerechtigkeit erlangt, um ins Reich des Messias einzugehen. Jesus hatte gesagt: „*Denn ich sage euch: Wenn nicht eure Gerechtigkeit die der Schriftgelehrten und Pharisäer weit übertrifft, so werdet ihr keinesfalls in das Reich der Himmel hineinkommen*" (Mt 5,20). Daraufhin kamen zwei Fragen auf: Warum kann das Pharisäertum niemanden ins Reich Gottes bringen? Welche Gefahr liegt in der Gesetzlichkeit der Pharisäer? Die Antwort dieses Sprichwort-Gleichnisses lautete: Die Pharisäer sind blind.

Im Prolog seines Evangeliums sieht Johannes das jüdische Volk in der Finsternis: „*Und das Licht scheint in der Finsternis, und die*

Finsternis hat es nicht erfasst" (Joh 1,5). Jesus kam als Licht mitten in diese Finsternis, um sie zu vertreiben. Finsternis ist ein Symbol dafür, dass man Gott nicht kennt, während Licht bedeutet, Gott zu kennen. Jesus kam, um uns Menschen Gott zu offenbaren: „*Niemand hat Gott jemals gesehen; der einziggeborene Sohn, der in des Vaters Schoß ist, der hat ihn kundgemacht*" (V. 18). Was Jesus vom Vater offenbart hat, wird für die Gläubigen zum Licht. Wer in der Finsternis lebt, ist blind. Ein Lehrer, der Gott nicht kennt, kann andere so wenig zur Erkenntnis Gottes führen, wie ein Blinder einen Blinden leiten kann.

Jesus zeigte die Gefahr auf, die dem Volk drohte, wenn es weiterhin seinen blinden Führern folgte. Er fragte: „*Werden nicht beide in eine Grube fallen?*" (Lk 6,39). Sowohl die Führer als auch die Geführten würden umkommen. Da ein Schüler nur so viel lernen kann, wie sein Lehrer weiß, würde das jüdische Volk unwissend bleiben, denn seine Führer kannten Gott nicht.

Die Lösung

Jesus bot eine Lösung für das Problem der blinden Führer. Er wies sie an, die Ursache für ihre Blindheit aus ihren Augen zu entfernen. Dann würden sie fähig sein, die Blinden zu lehren, die ihnen folgten. Der Herr gebrauchte das Bild von einem Balken und einem Splitter. Beide sind in ihrer Art nicht verschieden, nur in ihrer Größe. Der Splitter reizt das Auge; doch der Balken bewirkt Blindheit. Jesu Anklage richtete sich dagegen, dass sich die Pharisäer mit kleinen Dingen im Leben ihrer Nachfolger befassten, sich aber nicht damit beschäftigten, was ihre eigene Blindheit verursachte. Die Lehrer beteuerten, sie könnten den empfindlichen Splitter aus den Augen ihrer Hörer entfernen, gleichzeitig bemerkten sie ihre eigene Blindheit nicht. Die Lösung für die Pharisäer war daher: Zuerst die Ursache der eigenen Blindheit entfernen; erst dann ist man fähig, andere zu lehren, die auf Führung angewiesen sind. In diesem Fall konnte ihre Blindheit nur behoben werden, indem sie Licht von dem *Licht der Welt* empfingen, dem Messias, der mitten unter ihnen war.

KAPITEL 4

Der kluge und der törichte Bauherr

Matthäus 7,24-29, Lukas 6,39-42

Der Hintergrund

Viele Menschen wurden wegen seiner Worte und Taten auf Jesus aufmerksam. Was er sagte und die Wunder, die er tat, erweckten großes Interesse an seiner Botschaft: *„Das Reich der Himmel ist nahe gekommen"* (Mt 4,17). Diese Menschen wussten vom Alten Testament her, dass Gerechtigkeit eine Bedingung für den Eingang in das Reich des Messias ist (Ps 24,3-4; Hes 36,25-29). Sie kannten nur die Gerechtigkeit der Pharisäer, doch dieser Standard genügte ihnen nicht; sie glaubten nicht, dass diese gerecht genug waren, um in das Reich des Messias hineinzugelangen. Als die Menschen zusammenkamen, bewegte sie die Frage, welche Art von Gerechtigkeit notwendig war, um in das Reich des Messias hineinzugelangen.

In den Seligpreisungen hatte Jesus die Kennzeichen eines gerechten Menschen aufgezählt (Mt 5,3-14). Jesus fuhr in seiner Predigt fort, das Gesetz rechtmäßig auszulegen und anzuwenden, um Gottes Standard von Gerechtigkeit zu zeigen (Mt 5,17-48). Während die Pharisäer nur um die äußere Übereinstimmung mit dem Gesetz besorgt waren, forderte Jesus sowohl innere als auch äußere Gerechtigkeit. In seiner Auslegung des alttestamentlichen Gesetzes ging unser Herr weit über die allgemein akzeptierte Auslegung der religiösen Führer seiner Zeit hinaus. Sein Prinzip war es, dass Gerechtigkeit sowohl darin offenbar wird, was ein Mensch denkt, als auch darin, was er tut. Jesus gab dann eine Anleitung für ein Leben, das diejenigen führen sollten, die tauglich für das Reich Gottes sind. Nachdem er das Pharisäertum als Grundlage für den Eintritt ins Reich Gottes verworfen (Mt 5,20) und die Heiligkeit Gottes betont hatte, die im Gesetz als der Gerechtigkeitsstandard für dieses Reich offenbart worden war, schloss er seine Darlegung mit einer Einladung ins Reich. Jesus rief seine Hörer nicht dazu auf, sich auf die Lehren der Pharisäer zu verlassen, sondern *seinen* Worten Glauben zu schenken. Die Wahrheit, die er verkündete, veranschaulichte er mit einer *„engen Pforte"* (Mt 7,13). Jesus stellte diese enge Pforte der Lehre der Pharisäer gegenüber, die er als weite Pforte und breiten Weg ansah. Er lehrte also, dass Glaube an *sein* Wort zum Leben führt, aber Gehorsam gegenüber den Worten der Pharisäer zum Verderben.

Das Problem

Aus dieser Unterweisung erwuchsen die Fragen: Warum ist es wichtig, im Hinblick auf die Worte Jesu eine Entscheidung zu treffen? Und worin liegt die Gefahr, wenn man sein Angebot ablehnt? Ganz früh in seinem öffentlichen Dienst hat Jesus das jüdische Volk aufgerufen, eine Entscheidung sowohl bezüglich seiner Person als auch bezüglich der Wahrheit zu treffen, die er verkündigte. Das Volk wurde also für den Umgang mit der Offenbarung des Vaters, die Jesus ihnen brachte, verantwortlich gemacht.

Die Lösung

Um diese Frage zu beantworten, verglich Jesus seine Zuhörer mit Bauherren. Jeder, der seine Worte hörte, war für die Konsequenzen daraus verantwortlich. Die Wahrheit, die Jesus predigte, war die Grundlage nicht nur für das Leben in diesem Zeitalter, sondern auch für das kommende Zeitalter. Die Stabilität eines Gebäudes hängt von seinem Fundament ab. Das Gebäude, das ein Mensch baut, wird einer Prüfung unterzogen. Jesus gebrauchte das Bild von Überflutung, Regen und Sturm. Wenn ein Gebäude auf einem festen Fundament ruht, trotzt es jeder Flut. Wenn aber jemand kein stabiles Fundament legt und auf Sand baut, stürzt sein Gebäude zusammen, wenn die Flut kommt und der Sturm bläst. Der Grund dafür ist das fehlende Fundament.

Auf diese Weise stellte Jesus seine Worte den Lehren der Pharisäer gegenüber. Diese verfügten nicht über die Wahrheit Gottes; daher bauten alle, die ihnen nachfolgten, ohne ein angemessenes Fundament. Wenn die Zeit des Gerichts kam und sich entschied, wer ins Reich des Messias einginge, waren alle, die auf den Sand gebaut hatten, verloren. Solche Bauherren hatten keinen Anteil am Reich Gottes. Im Gegensatz dazu hatten diejenigen, die Jesu Worte über den Vater hörten und glaubten, zur Zeit des Gerichts bereits für ein sicheres Fundament gesorgt. Deshalb werden sie im kommenden Gericht bewahrt werden und die Freuden des messianischen Reiches erfahren. Unser Herr lehrte also, dass die ewige Bestimmung der Menschen von einer richtigen Reaktion auf die Offenbarung des Vaters und sein persönliches Angebot, der Messias für das Volk Israel zu sein, abhinge.

KAPITEL 5

Kinder auf den Marktplätzen

Matthäus 11,16-19; Lukas 7,29-35

Der Hintergrund

Der Dienst von Johannes dem Täufer war unter den Juden umstritten, und seine Taufe entzweite das Volk. „*Und das ganze Volk, das zuhörte, und die Zöllner haben Gott recht gegeben, indem sie sich mit der Taufe des Johannes taufen ließen; die Pharisäer aber und die Gesetzesgelehrten haben den Ratschluss Gottes für sich selbst wirkungslos gemacht, indem sie sich nicht von ihm taufen ließen*“ (Lk 7,29-30). Daher wissen wir, dass Jesus mit fortwährendem Widerstand gegen sich und seine Predigt des davidischen Königreichs für dieses Volk konfrontiert war.

Das Problem

Die Pharisäer und ihre Gesetzeslehrer waren in Israel anerkannt, doch sie taten auf die Predigt des Johannes hin nicht Buße, um sich dem kommenden Messias zuzuwenden. Andererseits sammelten sich die einfachen Leute einschließlich der Steuereintreiber, die zusammen mit den Huren als die niedrigste Gesellschaftsschicht galten, um Johannes und ließen sich in der Erwartung taufen, dass das messianische Königreich anbrechen wird. Diese gegensätzlichen Reaktionen lassen die Frage aufkommen, warum die Führer des Volkes die Botschaft von Johannes nicht annahmen und sich nicht dem Messias zuwandten.

Die Lösung

Um diese Frage zu beantworten, verglich Jesus die Pharisäer und Gesetzeslehrer mit Kindern, die auf den Marktplätzen spielen. An dieser Stelle lenkt er die Aufmerksamkeit nicht auf die Spiele der Kinder, sondern vielmehr auf eines ihrer Hauptmerkmale: das Beharren auf dem eigenen Willen. Die Kinder in dem Gleichnis verlangten: Wenn sie ihre Spielkameraden zum Tanz aufforderten, dann hatten diese auch zu tanzen. Stellten sich die Kinder zu einem Begräbniszug auf, hatten ihre Kameraden sich einzureihen. Jesus wollte damit sagen, dass die Pharisäer wie Kinder waren: Sie wollten Nachfolger, die einfach taten, was sie sagten. Außerdem erinnert Jesu Gleichnis daran, dass es für Kinder ganz natürlich ist, sich gegen Autoritäten aufzulehnen. Wenn jemand Kinder auffordert zu tanzen, werden sie sich weigern; wenn jemand Kinder bittet zu klagen, werden sie sich erst recht freuen.

Als Johannes zur Buße aufrief, zeigten die Pharisäer den Eigenwillen, der für Kinder so charakteristisch ist, und verweigerten die Buße. Sie kritisierten Jesus, als er ein Beispiel für die Freude am Reich Gottes gab und die Bußfertigen einlud, diese Freude mit ihm zu teilen. Jesus hat „*gepfiffen*" und Johannes hat „*Klagelieder gesungen*" (Lk 7,32), aber die Pharisäer haben nicht darauf reagiert. Jesus schloss seine Unterweisung, indem er sagte: „*... und die Weisheit ist gerechtfertigt worden von allen ihren Kindern*" (V. 35). Er meinte damit, dass es sich im Leben der beiden Gruppen von Anhängern zeigen würde, ob er oder die Pharisäer recht hatten. Diejenigen, die ihm nachfolgten, würden die Früchte der Gerechtigkeit zeigen; aber solche Frucht suchte man bei den Anhängern der Pharisäer vergebens.

KAPITEL 6

Die zwei Schuldner

Lukas 7,41-50

Der Hintergrund

Jesus war von einem Pharisäer zum Essen in dessen Haus eingeladen worden, doch der Gastgeber verhielt sich herablassend. Als die Gäste bereits beim Essen waren, trat eine stadtbekannte Sünderin zu ihnen. Das war in einer Kultur, in der Gastfreundschaft als eine Tugend galt, nicht unüblich, insbesondere wenn der Gast von niedrigerem Stande als der Gastgeber war. Bei solch einem Essen mit Gästen wie diesem ließ ein Pharisäer den Tisch an einem frei zugänglichen Ort aufstellen, vielleicht im Hof. Das vordere Tor blieb offen, damit die Vorübergehenden nicht nur die Gastfreundschaft des Gastgebers bemerkten, sondern auch in den Hof kommen konnten, um die Speisen zu sehen, die der Gastgeber für die Gäste aufgetragen hatte. Je kostspieliger die Vorbereitungen des Pharisäers, desto mehr Ehre wurde ihm als Gastgeber zuteil.

Dieser Brauch ermöglichte es also der Sünderin, dorthin zu gelangen, wo Jesus zu Tisch lag. Doch diese Frau kam nicht, um zuzuschauen, sondern um dem Herrn Ehre zu erweisen. Sie hatte ein Alabasterfläschchen mit Salböl dabei. Diese sehr teure Salbe hatte sie vielleicht mit dem Geld gekauft, das sie durch ihre Sünden verdient hatte. Die Frau zeigte ihre Herzenshaltung Jesus gegenüber, indem sie ihren Platz zu seinen Füßen einnahm; diese hatte Jesus in seiner liegenden Position wahrscheinlich vom Tisch weg gestreckt. Die Frau begann, seine Füße mit ihren Tränen zu benetzen. Das war ihre Art, Jesus gegenüber ihre Reue zum Ausdruck zu bringen. Sie gestand ihre Sünde ein und bekannte, dass sie Vergebung brauchte. Da der Messias der Einzige war, der Sünde wegnahm (Jes 53,6; Sach 13,1), waren die Tränen der Frau nicht nur ein Zeichen ihrer Buße, sondern auch ihres Glaubens an Jesus als Messias. Sie war gekommen, um seine Vergebung zu suchen. Nachdem sie seine Füße mit ihren Tränen benetzt hatte, gebrauchte sie ihr Haar wie ein Handtuch und trocknete seine Füße. Daraufhin zeigte sie ihre Zuneigung zu Jesus, indem sie seine Füße küsste. Darin kommt ihre Zuversicht zum Ausdruck, bereits Vergebung empfangen zu haben. Sie zeigte ihre Verehrung gegenüber Jesus, indem sie Salböl aus dem Alabasterfläschchen auf seine Füße goss.

Das Problem

Nach der Tradition der Pharisäer wurde man zeremoniell unrein, wenn man von einer Frau berührt wurde. Besonders die Berührung einer Frau von solch zweifelhaftem Ruf führte zu einer ernsthaften Verunreinigung. Die Pharisäer schlossen daraus, dass Jesus, wenn er denn wirklich der Messias war, den Ruf dieser Frau gekannt haben müsste; schließlich ist der Messias ein Prophet (5Mo 18,15-18). Er hätte einfach alles gewusst, besonders etwas so Offensichtliches wie den Ruf dieser Frau, der allen Anwesenden so gut bekannt war. Wenn Jesus der Messias war, hätte er es vermieden, sich verunreinigen zu lassen. Das ergab einen Widerspruch im Denken der Pharisäer. Einerseits kannten sie Jesu Anspruch, der Messias zu sein; andererseits beobachteten sie, dass er die Berührung der Sünderin duldete – nach ihrer Tradition eine Verunreinigung. Wer also war dieser Mensch? Und wenn er war, was er behauptete, warum ließ er sich von dieser Frau huldigen?

Die Lösung

Als Antwort auf dieses Problem erzählte Jesus die Geschichte eines Geldverleihers, bei dem zwei Männer verschuldet waren. Ein Mann schuldete ihm fast zwei Jahresgehälter, der andere zwei Monatsgehälter. Weil keiner von beiden den Betrag zurückzahlen konnte, erließ der Geldverleiher ihnen die Schulden. Das stand zwar im völligen Gegensatz zur Gewohnheit der Geldverleiher, doch es entsprach vollkommen dem Wesen Gottes. Jesus stellte nun Simon dem Pharisäer eine Frage: *„Wer nun von ihnen wird ihn am meisten lieben?*" (Lk 7,42). Der Pharisäer antwortete auf die einzig mögliche logische Weise und sagte: der, dem die größere Schuld erlassen worden war, wird größere Liebe haben. Jesus bestätigte diese Schlussfolgerung.

Nun stellte Jesus das Verhalten des Pharisäers und das der Frau einander gegenüber. Der Pharisäer hatte Jesus nicht in sein Haus eingeladen, um ihn zu ehren, sondern um ihn vielmehr zu beobachten. Vielleicht hoffte Simon sogar, irgendeine Anschuldigung zu finden, die er gegen Jesus verwenden konnte. Der Herr war Gast im Haus des Pharisäers, doch ihm wurden nicht die Höflichkeiten erwiesen, die die übliche Gastfreundschaft erforderte. Normalerweise bereitete man einen Gast für solch ein Festessen vor, indem man ihm die Möglichkeit gab, sich in einem öffentlichen Bad zu waschen, und ihn dann mit Öl salbte und ihm saubere Kleider antat. Auf dem Weg vom Bad zum Festsaal wurden die Füße des Gastes schmutzig; daher wusch man sie, bevor man sich an der Festtafel niederließ. Die Höflichkeit gebot es, dass der Gastgeber dazu eine Wasserschüssel bereitstellte. Doch Simon der Pharisäer hatte nichts davon für Jesus vorbereitet. Der Brauch hätte erfordert, dass der Gastgeber den Gast zum Erweis des Respekts und der Zuneigung mit einem Kuss empfängt, selbst wenn er nur geheuchelt gewesen wäre. Doch der Pharisäer hatte selbst diese gebräuchlichen Höflichkeiten nicht beachtet. Es wurde vom Gastgeber erwartet, dass er ein Fläschchen Öl bereitstellte, damit den Gästen das Gesicht als Zeichen der Freude über die Einladung zum Festessen gesalbt werden konnte. Doch für Jesus war kein Öl bereitgestellt worden. Eine Frau hatte für das gesorgt, was der Pharisäer versäumt hatte. Anstatt Jesu Füße mit Wasser aus einer

Schüssel zu waschen, wusch sie sie mit ihren Tränen. Anstatt seine Füße mit einem Handtuch abzutrocknen, rieb sie sie mit ihrem Haar trocken. Anstatt Jesu Wange zu küssen, bückte sie sich, um seine Füße zu küssen. Und anstelle des Olivenöls, das für gewöhnlich zur Salbung des Gesichts verwendet wurde, schüttete sie teures Parfüm über Jesus aus.

Simons Nachlässigkeit, Jesus die übliche Höflichkeit als Gastgeber entgegenzubringen, kam aus seinem fehlenden Glauben an die Person Jesu. Das Verhalten der Frau stand durch ihren Glauben an Jesus im Gegensatz zu Simons Verhalten. Jesus konnte daher zu der Frau sagen: *„Deine Sünden sind vergeben"* (Lk 7,48). Damit nicht jemand schlussfolgerte, dass die Sünden der Frau wegen ihrer Taten vergeben wurden, erklärte Jesus: *„Dein Glaube hat dich gerettet. Geh hin in Frieden"* (V. 50). Daher waren nicht ihre Taten die Grundlage ihrer Rettung, sondern sie wurde durch ihren Glauben an Jesus gerettet; daraus folgten ihre Taten.

Mit diesem Gleichnis beantwortete Jesus die Fragen in den Köpfen der Pharisäer, warum er die Zuneigung und Verehrung der Sünderin annahm. Das Gleichnis lehrt, dass er ihre Huldigung annahm, weil sie ihrem Glauben entsprang. Wer die Echtheit des Glaubens durch die Früchte der Buße zeigen kann, der hat zu Recht Vergebung empfangen. Solch ein Mensch wird von Jesus angenommen und willkommen geheißen.

KAPITEL 7

Gleichnisse, die Jesu Anspruch beweisen

Matthäus 12,22-30; Markus 3,22-27

Der Hintergrund

Im Verlauf seines Dienstes auf der Erde gab es zunehmend Widerstand gegen Jesus vonseiten der religiösen Führer. Der Tatsache zum Trotz, dass seine Worte und Werke deutlich seinen Anspruch bewiesen, der Messias zu sein, weigerten sich die religiösen Führer hartnäckig, ihm zu glauben oder ihn gar anzunehmen. Die dringendste Frage, der sich das Volk während des gesamten Lebens Jesu auf Erden gegenübersah, war: Wer ist er? Ist er der Messias, wie er es behauptet?

Die Bevölkerung Galiläas schien davon überzeugt, dass er der Messias war, der Israel erlösen und regieren würde. Bei dieser Begebenheit trieb Jesus einen Dämon aus einem Mann aus, der sowohl blind als auch stumm war. Das Volk antwortete: *„Dieser ist doch nicht etwa der Sohn Davids?"* (Mt 12,23). Gemäß dem griechischen Text des Neuen Testaments erwartete diese Frage eine negative Antwort. Doch das Volk gab die negative Antwort nicht, weil schlüssige Beweise für Jesu Anspruch als Messias gefehlt hätten. Sie formulierten ihre Frage so aufgrund des anhaltenden Widerstands der religiösen Führer. Markus merkt an, dass zu dieser Zeit einige der Schriftgelehrten mit der erklärten Absicht aus Jerusalem gekommen waren, die Menschen davon abzuhalten, an Jesus zu glauben (Mk 3,22). Solch eine außerordentliche Demonstration seiner Macht, wie Jesus sie bei dieser Gelegenheit zeigte, verlangte eine Erklärung. Eine solche Tat war nicht natürlichen, sondern offensichtlich übernatürlichen Ursprungs. Es gab nur zwei Quellen übernatürlicher Kräfte, die solch ein Wunder hätten bewirken können. Entweder hatte Gott die Macht dazu verliehen oder Satan. Die Pharisäer schrieben das Wunder dem Satan zu, indem sie sagten: *„Dieser treibt die Dämonen nicht anders aus als durch den Beelzebul, den Obersten der Dämonen“* (Mt 12,24).

Das Problem

Jesus behauptete, seine Wunder durch die Macht Gottes zu wirken (Joh 14,10). Die Pharisäer behaupteten dagegen, dass er seine Wunder durch die Macht Satans vollbrachte. Daher stellte sich die Frage, welche Erklärung zutraf. Kam Jesus Christus von Gott oder von Satan? Da dieses Wunder die Welt der Dämonen betraf, beanspruchte Jesus, größere Macht als Satan zu besitzen. Jesus beantwortete diese Frage, indem er *„in Gleichnissen“* sprach (Mk 3,23).

Die Lösung

Um nachvollziehbar zu beweisen, dass er größere Macht als Satan hatte, wie durch das Wunder demonstriert, nannte Jesus drei Argumente dafür, dass seine Kraft nicht von Satan war. Im ersten von drei Gleichnissen sagte Jesus: Ein Reich, das mit sich selbst entzweit ist, wird zerstört (Mt 12,25-26). Dieses Prinzip trifft nicht nur auf ein Königreich zu, sondern auch auf eine Stadt und in gleicher Weise sogar auf einen einzelnen Haushalt. Jesu Argument lautete: Wenn er Macht von Satan bekommen und dann diese Macht gegen Satan eingesetzt hätte, würde der Teufel sein eigenes Reich zerstören, wenn er ihm Macht verlieh. So etwas war unvorstellbar, da niemand einem anderen die Macht verleihen würde, um selbst vernichtet zu werden.

Im zweiten Gleichnis (Mt 12,27-28) verwendete Christus ein weiteres Argument. Zu dieser Zeit gab es in Israel Exorzisten (vgl.

7,22). Diejenigen, die Dämonen austrieben, wurden nicht als „Übeltäter“ eingestuft. Solche Exorzisten wurden im Volk willkommen geheißen und als Gottes Gabe an ein Volk betrachtet, das mit dämonischer Besessenheit geplagt war. Das Volk war solchen Exorzisten für ihren Dienst dankbar. Da man diese Dämonenaustreibungen nicht Satan zuschrieb, fragte Jesus: „*... durch wen treiben eure Söhne sie aus?*“ (Mt 12,27). Jesu Argument gründete sich auf die Tatsache, dass sie selbst erkannten, dass Dämonenaustreibung nicht aus der Macht Satans geschah. Was brachte sie dann zu der Schlussfolgerung, dass ausgerechnet er durch die Macht Satans wirkte? Warum sollte sein Wirken nicht rechtmäßig durch die Macht Gottes sein?

Das dritte Gleichnis (Mt 12,29) zeichnet das Bild eines gegen Diebe gesicherten Haushalts. Die Tore sind verriegelt und Wachen aufgestellt, um einem Einbruch vorzubeugen. Wenn ein Räuber trotz der Sicherheitsmaßnahmen den Hausrat rauben wollte, musste er fähig sein, die Wache zu überwältigen. Wenn die Wache stärker war als der Räuber, war der Besitz gesichert. Doch wenn der Räuber stärker war als die Wache, würde das Haus geplündert werden. Jesu Argument war, dass Satan die Seinen beschützt. Wenn Jesus fähig war, jemanden aus dem Herrschaftsbereich Satans zu befreien, war dies ein Beweis dafür, dass er stärker ist als Satan.

Jesus beantwortete also in diesen drei Gleichnissen die Frage, wer er ist. Er machte auch deutlich, von wem er seine Macht und Autorität empfing. Die Logik in den Gleichnissen bewies, dass er nicht von Satan stammen konnte und dass er nicht durch Satans Macht wirkte, wie die jüdischen Führer behaupteten. Er musste von Gott gekommen sein. Die logische Schlussfolgerung des Gleichnisses war mit Jesu Worten: „*Wenn ich aber durch den Geist Gottes die Dämonen austreibe, so ist also das Reich Gottes zu euch gekommen*“ (Mt 12,28). Also waren Jesu Angebot des messianischen Reiches an Israel und seine Selbstbezeugung als Messias berechtigt.

KAPITEL 8

Das leere Haus

Matthäus 12,43-45

Der Hintergrund

In den vorausgehenden Versen hatten einige Pharisäer und Schriftgelehrten zu Jesus gesagt: *„Lehrer, wir möchten ein Zeichen von dir sehen"* (Mt 12,38). Einige der religiösen Führer hatten zuvor gehört, wie Jesus ihre Anklage widerlegte, er wirke durch die Macht Satans. Diese Art Bitte legt nahe, dass die Pharisäer sich jetzt fragten, ob sie ihn zu Recht als Messias zurückwiesen. Daher waren sie gekommen, um ihn um ein Zeichen zu bitten. Das sollte sie überzeugen und ihnen ausreichend demonstrieren, dass sein Anspruch berechtigt war. Jesus weigerte sich jedoch, ihnen auch nur *ein* weiteres Zeichen zu geben, außer dem Zeichen Jonas. Dieses Zeichen, nämlich Jesu leibliche Auferstehung, sollte der zukünftige Beweis sein, dass er der Messias war. Jesus hatte seine Macht über die Natur bereits bewiesen, indem er Stürme gestillt hatte und auf dem Wasser gewandelt war. Er hatte seine Macht über Krankheiten durch seine vielen Heilungswunder gezeigt, und seine Macht über Satan durch das Austreiben von Dämonen. Er hatte seine Macht über den Tod gezeigt, indem er Tote wieder zum Leben erweckte, und er hatte seine Autorität gezeigt, Sünden zu vergeben. Wenn solche Beweise zurückgewiesen wurden, konnte kein weiterer Beweis erbracht werden, der die Skeptiker zufriedenstellen würde. Jesus erwartete ein kommendes Gericht über diese Generation (Mt 12,41-43).

Das Problem

Es stellten sich natürlich die folgenden Fragen: In welchem Zustand war das jüdische Volk, nachdem es nun alle Beweise zurückgewiesen hatte, die Jesus bezüglich seiner Person gab? Wie beurteilte Gott diese Generation, der das Reich durch den Dienst von Johannes dem Täufer und durch Christus selbst angeboten worden war?

Die Lösung

Jesus erzählte von einem Besessenen. Dieser Besessene wurde als unrein betrachtet und durfte nicht in der Gemeinschaft mit anderen sein. Er wurde gezwungen, sich von seiner Familie und seinem Dorf zu trennen und abgesondert zu leben. Dann aber verließ der Dämon diesen Mann, um sich einen besseren Ort zu suchen. Befreit von der Besessenheit konnte der Mann nun zu seiner Familie und seinen Freunden in sein Dorf zurückkehren und die Gemeinschaft mit ihnen wieder genießen.

Der Dämon aber fand keinen besseren Ort und kehrte schließlich zu dem Mann zurück. Als er zurückgekehrt war, fand er den Mann frei von Besessenheit. Der Ort, wo der Dämon vorher gehaust hatte, war *„leer, gekehrt und geschmückt“* (Mt 12,44). Das Gleichnis legt nahe, dass der Dämon den Mann verlassen hatte, weil er einsam war und Gemeinschaft mit anderen Dämonen suchte. Als nun der Dämon zu dem Mann zurückkehrte, brachte er sieben andere unreine Geister mit, die noch schlimmer waren als er selbst, und alle ergriffen Besitz von dem Mann. Folgerichtig war der Mann erneut gezwungen, sich von seiner Familie, seinen Freunden und der vertrauten Umgebung zu verabschieden und isoliert zu leben. So tragisch sein Zustand zu Anfang auch war, zuletzt war er noch schlimmer. Anstatt nur der Aufenthaltsort eines einzigen Dämons zu sein, beherbergte er nun außer diesem noch sieben weitere, von denen jeder versuchen würde, durch ihn zu wirken.

Die Anwendung Jesu lautete: *„So wird es auch diesem bösen Geschlecht ergehen“* (Mt 12,45). Johannes der Täufer hatte sich bei seinem Dienst an das sündige Volk Israel gewandt und es zur

Umkehr aufgerufen. Eine Folge dessen war: „*Und es ging zu ihm hinaus das ganze jüdische Land und alle Einwohner Jerusalems, und sie wurden im Jordanfluss von ihm getauft, indem sie ihre Sünden bekannten*" (Mk 1,5). Diese Buße des Volkes wurde im Gleichnis durch das Ausfahren des Dämons dargestellt (Mt 12,43). Alle, die sich von Johannes taufen ließen, hatten damit ihr Bekenntnis zum kommenden Messias ausgedrückt. Unter dem Einfluss des Unglaubens der Führer Israels hatten sie sich von diesem Bekenntnis aber wieder abgewendet. Daher war ihre ursprüngliche Umkehr nur vorübergehend, nicht dauerhaft. Wenn das Volk Israel sich voller Glauben Jesus zugewandt hätte, wäre die Reinigung durch die Taufe des Johannes dauerhaft gewesen, und das Volk wäre von seiner Unreinheit befreit. Doch weil es Jesus nun zurückwies, war das Volk, das durch die Taufe seine Umkehr bekannt hatte, nun in einem schlechteren Zustand als zuvor. Wegen seiner Unreinheit war es von Gott getrennt. Dauerhafte Reinigung wäre möglich gewesen, sie wurde aber zurückgewiesen.

KAPITEL 9

Gleichnisse über die neue Gestalt des Reiches

Matthäus 11,16-19; Lukas 7,29-35

Der Hintergrund

Die Anklage, dass Jesus seine Macht von Satan erhalte (Mt 12,24), war im Leben Jesu ein wichtiger Wendepunkt. Die Zurückweisung der Führer nahm die letztendliche Zurückweisung des jüdischen Volkes vorweg, die in Jesu Tod am Kreuz ihren Höhepunkt erreichen würde. Von nun an stand Israels Zurückweisung Jesu als Messias und seinem messianischen Reich für Israel fraglos fest. Jesus sprach eine ernste Warnung aus, indem er sagte: *„Jede Sünde und Lästerung wird den Menschen vergeben werden; aber die Lästerung des Geistes wird nicht vergeben werden. Und wenn jemand ein Wort reden wird gegen den Sohn des Menschen, dem wird vergeben werden; wenn aber jemand gegen den Heiligen Geist reden wird, dem wird nicht vergeben werden, weder in diesem Zeitalter noch in dem zukünftigen“* (Mt 12,31-32). Die Wunder, die Jesus getan hatte, bewiesen, dass er von Gott war und dass seine Werke durch die Kraft des Heiligen Geistes getan wurden. Erlösung geschah allein durch ihn. Durch seine Worte konnten Menschen zum Glauben an ihn kommen. Wenn jemand Jesu Worte ablehnte, konnte derjenige durch das Zeugnis des Vaters noch immer zum Glauben an Christus kommen. Wenn jemand sowohl die Worte Jesu als auch das Zeugnis des Vaters ablehnte, konnte dieser noch immer durch das Werk des Geistes in ihm zum Glauben an Jesus kommen. Wenn jemand alle drei Zeugnisse über die Person Jesu ablehnte, gab es kein weiteres Zeugnis, um ihn zum Glauben an Christus und zur Erlösung zu bringen. Die Sünde gegen den Geist, auf die hier verwiesen wird, war nur möglich, als Jesus persönlich auf Erden gegenwärtig war und sich selbst Israel als Retter-Herrscher anbot. Diese besondere Sünde konnte nur begangen werden, als Jesus Wunder tat, um sich vor dem jüdischen Volk auszuweisen. Im Anschluss an diese Warnung stellte Jesus fest, dass diese Generation wegen ihrer Zurückweisung seiner Person unter dem Gericht stand (Mt 12,39-42).

Darauf kam es zu einem Ereignis, bei dem Jesus nun seinerseits seine Zurückweisung Israels deutlich machte. Während Jesus zu einer großen Menge sprach, sagte man ihm, dass seine Mutter und seine Brüder darauf warteten, mit ihm zu reden (V. 47). Jesus wies ihre Bitte zurück. *„Und er streckte seine Hand aus über seine Jünger und sprach: Siehe da, meine Mutter und meine Brüder! Denn wer den Willen meines Vaters tut, der in den Himmeln ist, der ist mein Bruder und meine Schwester und meine Mutter“* (V. 49-50). Blutsbande vereinten Jesus mit seiner Mutter und seinen Brüdern; im Gegensatz dazu vereinten ihn Glaubensbande mit seinen Jüngern. Jesus wies den Anspruch derer zurück, die mit ihm nur durch Blutsbande vereint waren; er erkannte die Einheit an, die zwischen ihm und denen bestand, die ihren Glauben in ihn setzten. Also zeigte Jesus, dass er das Volk Israel zurückwies, das durch die Abstammung von Abraham in Beziehung zu ihm stand; er nahm diejenigen an, die *durch den Glauben* mit ihm verbunden waren. Dieses Ereignis ist bedeutsam, weil es offenbart, dass Israel als Nation verworfen wurde und es jetzt eine neue Beziehung mit Menschen auf der Grundlage des Glaubens gab, statt auf der Grundlage leiblicher Abstammung.

Das Problem

Das Volk Israel war mit Gott durch eine Verheißung (1Mo 12,1-6; 13,14-17) und durch einen Bund (15,18) verbunden. Gott hatte die leiblichen Nachkommen Abrahams dazu erwählt, das Volk zu sein, dem er sich offenbaren und durch das er sich der Welt bekannt machen würde (2Mo 19,6). Israel hatte als Gottesherrschaft begonnen und war die Nation, über die Gott herrschte und durch die er seine Absichten vollbringen wollte. Der Verheißung gemäß, die Gott David gab, sollte Israel schließlich von einem König regiert werden, der von davidischer Abstammung war (2Sam 7,16). Die göttliche Verheißung besagte, dass ein Nachkomme Davids auf Davids Thron sitzen und über das Haus Davids herrschen wird. Deshalb erwartete das Volk einen König, der über sie herrschen wird. Ein Hauptthema der prophetischen Bücher des Alten Testaments war die wahre Lehre über den Messias und sein Reich sowie über den zukünftigen Frieden und Wohlstand, die für das Volk kommen sollten. Johannes der Täufer, der letzte der alttestamentlichen Propheten, kam mit der wunderbaren Verheißung zu Israel, dass *„das Reich der Himmel … nahe gekommen"* war (Mt 3,2). Jesus begann seinen öffentlichen Dienst mit derselben Verkündigung (4,17). Er hat das Maß der Gerechtigkeit bestimmt, das zum Eintritt in das Reich nötig war, und gezeigt, wie diejenigen leben werden, die zum Reich gehören (Mt 5–7). Jesus bestätigte anschließend sein Angebot des Reiches an das Volk durch die Vielzahl von Wundern, die er vollbrachte (Mt 8–11). Doch das Volk, das in der Erwartung der Messiasherrschaft lebte, wies Jesus zurück, indem es ihn für einen von Dämonen besessenen Wahnsinnigen hielt. Ohne Gerechtigkeit konnte es kein Reich geben, und ohne Gehorsam Gott gegenüber konnte es keinen Segen geben (5Mo 28). Es war daher notwendig, dass die Generation, die zur Zeit Jesu lebte, verworfen und die Aufrichtung des Reiches für Israel aufgeschoben wurde. Jesus sprach in seinen Gleichnissen viele Male von diesem Aufschub.

Vom Anbeginn der Schöpfung gab es immer eine Form von Gottes Reich auf Erden und einen Kanal, durch den Gott seine

Herrschaft demonstrierte. Im Garten Eden bestand eine vollkommene Minitheokratie, solange Adam und Eva in Abhängigkeit von Gott lebten. Gott herrschte und erteilte Adam Vollmacht, als sein Stellvertreter zu regieren (1Mo 1,26-27), und Adam übte die Herrschaft aus, zu der Gott ihn bevollmächtigt hatte. Nach dem Sündenfall regierte Gott durch das Gewissen und versuchte, Menschen dazu zu bringen, ihm anzuhangen (Röm 2,15). Als die Menschen sich gegen die Autorität Gottes auflehnten, die er durch das Gewissen ausübte, sandte Gott das Gericht der Flut und setzte daraufhin seine Herrschaft durch menschliche Regierung ein (1Mo 9,6; Röm 13,1-7; 1Petr 2,13-17). Mit der Berufung Abrahams begann Gott, seine Herrschaft in und durch das Volk Israel voranzutreiben. Nach den Patriarchen (2Mo 4,16–7,1) übte Gott seine Regierung durch die Richter (Ri 2,16-18; Apg 13,20) und schließlich durch die Könige aus, die aufgrund göttlicher Bestimmung ihren Dienst taten. Das Volk musste wegen seines Ungehorsams verworfen werden. Das nördliche Königreich fiel im Jahr 722 v. Chr. an Assyrien, und Jerusalem wurde schließlich im Jahr 586 v. Chr. durch die Babylonier zerstört.

Diese Bestrafung hob jedoch die Verheißungen und Bundesschlüsse nicht auf und raubte Israel auch nicht die Erwartung, dass Gottes Herrschaft unter dem Messias hier auf der Erde eingesetzt werden würde. Aus dem Bericht des Neuen Testaments geht hervor, dass Jesus als der zuvor verheißene Messias kam und Israel das Reich anbot. Israel verwarf seinen Christus jedoch vorsätzlich und wies sein Angebot zurück. Obgleich die Verheißung Gottes bestehen blieb, wurde die Einsetzung des Reiches aufgeschoben. Nun kam die folgende Frage auf: In welcher Form würde Gott in der Zwischenzeit zwischen Israels Zurückweisung des messianischen Reiches und Israels zukünftiger Annahme des Messias' und seines Reiches seine Herrschaft auf Erden ausüben? Die Reihe von Gleichnissen, die Jesus nun erzählte, dienten dazu, die wichtigen Eigenschaften der neuen und unerwarteten Form zu beschreiben, in der sich die Herrschaft Gottes in diesem gegenwärtigen Zeitalter manifestieren würde. In Matthäus 13,11 wird auf diese Gleichnisse als Rätsel oder „*Geheimnisse des Reiches*" verwiesen. Das Alte Testament hatte nicht offenbart, dass es wegen der Zurückweisung Jesu durch die Nation eine Zeit zwischen dem Angebot des Reiches und Israels Leben im Reich geben würde. Die Form, in der die Herrschaft Gottes im gegenwärtigen Zeitalter verwirklicht wird, war im Alten Testament unbekannt. Doch nun sah es Jesus als angemessen an, durch Gleichnisse diese neue Form der Herrschaft Gottes mit ihren Hauptmerkmalen zu offenbaren.

Es muss betont werden, dass Jesus, als er die Wahrheit über das Reich offenbarte, nicht von der Gemeinde sprach. Das kommende Zeitalter des Reiches ist nicht das Zeitalter der Gemeinde. Die Gemeinde nahm ihren Anfang am Pfingsttag in Apostelgeschichte 2 und sie wird auf der Erde bleiben bis zur Entrückung – ein Ereignis, das den sieben Jahren der Drangsal vorausgehen wird. Das kommende Zeitalter des Reiches, von dem Jesus sprach, begann ab dem Zeitpunkt seiner Zurückweisung als Messias durch Israel und wird bis zu seiner zukünftigen Annahme als Messias durch Israel beim zweiten Kommen dauern. Die Gemeinde ist ein Teil des Reiches, doch das Reich ist umfassender als nur die Gemeinde. Das Zeitalter der Gemeinde liegt innerhalb des neuen Zeitalters des Reiches, das sich über die Gemeindezeit hinaus erstreckt. Deshalb offenbaren die vorliegenden Gleichnisse nicht in erster Linie Wahrheiten über die Gemeinde, sondern vielmehr über das Reich, dessen Teil die Gemeinde ist.

Der Sämann, die Saat und die verschiedenen Böden

Matthäus 13,3-23; Markus 4,3-25; Lukas 8,15-18

Der Hintergrund

Da Weizen für die Ernährung in Palästina ein Grundnahrungsmittel darstellte, war den Zuhörern des Herrn das Verfahren des Weizenanbaus gewiss sehr vertraut. Zur Vorbereitung der Aussaat wurde der Boden von allem gesäubert, was zuvor darauf gewachsen war. Daher sah das gesamte Feld gleich aus. Der Sämann wusste nicht, ob sich Wurzeln oder Steine unter der Oberfläche des Ackers befanden. Der Boden wurde nicht wie heute gepflügt, sondern das Saatgut wurde vom Sämann auf der Oberfläche des Ackers verteilt. Das Saatgut wurde dann mit einem einfachen, hölzernen Pflug in den Boden gescharrt. Die Aussaat wurde vor dem Frühregen vorgenommen, der die Saat zum Keimen brachte. Der Sämann wartete während der Wachstumszeit bis zum Eintreffen des Spätregens, der das Getreide zur vollen Entfaltung brachte und so eine reichliche Ernte hervorbrachte.

Das Problem

Jesus sieht sich zu Beginn dieser Reihe von Gleichnissen der Frage gegenüber, wie die Wahrheit, die er offenbart, verbreitet wird und welche Reaktion darauf erwartet werden kann.

Die Lösung

Der Herr selbst erklärte seinen Zuhörern dieses Gleichnis. Er selbst war der Sämann, und das Ackerfeld stand für diejenigen, die seine Worte hörten (Mt 13,37). Da das Saatgut sowohl als *„Wort Gottes“*(Lk 8,12) als auch als *„die Söhne des Reiches“* (Mt 13,38) bezeichnet wird, sehen wir, dass das Wort Gottes während des gesamten Zeitalters durch diejenigen ausgesät wird, die man zu den Söhnen des Reiches zählt. Darüber hinaus sehen wir, dass der Sämann gut ist, dass die Frucht gut ist und das Feld eine reichliche Ernte verspricht. Doch wir stellen fest, dass es unterschiedliche Reaktionen auf dieselbe Aussaat desselben Sämanns gibt. Die Reaktion hängt nicht vom Sämann ab oder vom Saatgut, sondern vom Erdboden, das heißt von dem Hörenden. Einiges von der guten Saat wurde von denjenigen aufgenommen, die Jesus mit dem Pfad verglich, der das Feld einsäumte. Dieser Pfad wurde nicht gepflügt, nachdem das Saatgut ausgestreut war. Das Saatgut konnte dort mit Leichtigkeit von den Vögeln gefressen werden. Jesus verglich andere Hörer des Wortes mit felsigem Boden. Auf dem unter der Oberfläche liegenden Felsen lag nur eine dünne Schicht Erde. Der Felsen speicherte die Hitze der Sonne und brachte die Saat ungewöhnlich schnell zum Keimen und förderte ein schnelles Wachstum. Doch es war nicht ausreichend Erde vorhanden, sodass die Wurzeln sich ausbreiten konnten. Jegliche Feuchtigkeit, die der Boden bekam, verdunstete schnell, und es blieb keine Feuchtigkeit übrig, um das ursprüngliche schnelle Wachstum anhalten zu lassen. Deshalb starb der frische Schössling bald ab. Andere Hörer verglich Jesus mit dem Boden, der von Dornen bedeckt war. Da das Feld von den Gewächsen des vorigen Jahres gereinigt worden war, konnte der Sämann nicht wissen, ob sich unter der Erdoberfläche noch Dornenwurzeln befanden. Wenn in der Folge die gute Saat ausgesät wurde, wuchs sie auch unter Dornen auf. Die Dornen erstickten bald den aufwachsenden Weizen. Einiges von der guten Saat fiel aber auf guten Boden und konnte reiche Frucht hervorbringen.

Bei der Auslegung dieses Gleichnisses erklärte Jesus, wodurch das Fruchtbringen der guten Saat verhindert wurde. Die Vögel, die das Saatgut auf dem Weg fraßen, waren ein Bild für Satan, der ein Feind des Wortes Gottes ist und versucht, die Saat am Keimen oder Fruchtbringen zu hindern. Die Saat, die auf den Felsboden ausgesät wurde, keimte zwar, doch sie konnte keine Wurzeln schlagen. Unser Herr erklärte, dass mangelndes Wachstum oder mangelndes Gegründetsein in der Wahrheit einen Menschen zu Fall bringt, wenn Verfolgung oder Anfechtungen kommen. Die Saat, die unter die Dornen fiel, veranschaulichte das fruchtlose Leben dessen, der mit dem Streben nach Reichtum, den Sorgen dieses Lebens oder mit materiellen Dingen beschäftigt ist. Der gute Boden stand für denjenigen, der das Wort nicht nur hört, sondern auch versteht. Das geschieht, wie Jesus an anderer Stelle lehrte (vgl. Joh 16,13-14), durch den Dienst des Heiligen Geistes, der in einem Menschen das Verstehen bewirkt und ein konsequentes Leben nach dem Wort Gottes, das er empfangen hat.

Wir lernen also aus diesem ersten der Reich-Gottes-Gleichnisse, dass es in der heutigen Zeit eine Aussaat des Wortes Gottes durch unseren Herrn gibt (Lk 8,12) und durch diejenigen, die er *„die Söhne des Reiches“* nennt (Mt 13,38). Es wird unterschiedliche Reaktionen geben, die davon abhängen, wie der Hörer vorbereitet ist. Trotz der fehlenden Frucht bei drei Arten von Hörern können wir sicher sein, dass es eine reiche Ernte geben wird.

Die aufwachsende Saat

Markus 4,26-29

Das Problem

Da Jesus im vorherigen Gleichnis betont hatte, dass das Säen das ganze Zeitalter hindurch von den *„Söhnen des Reiches"* (Mt 13,38) durchgeführt wird, stellte sich die Frage, ob die Ernte vom Geschick und der Zielstrebigkeit, dem Fleiß oder der Weisheit der Sämänner abhängt. Was genau würde die Ernte hervorbringen?

Die Lösung

In diesem Gleichnis wurde das Saatgut wie im vorigen Gleichnis auf dem Ackerboden verteilt. Es gibt keinen Grund, warum das Saatgut und der Ackerboden eine abweichende Bedeutung zum vorhergehenden Gleichnis haben sollten. Das Gleichnis betont, dass die Aufgabe, das Wort Gottes zu verbreiten, Menschen anvertraut wurde. Eine zusätzliche wahre Aussage, die nun betont wurde, war, dass der Sämann nach der Aussaat bis zur Ernte nichts mehr tun musste. *„… der Same sprießt hervor und wächst … Die Erde bringt von selbst Frucht hervor"* (Mk 4,27-28). Jesus betonte, dass das Leben in dem Saatgut bewirkt, dass es keimt, wächst und dann Ähren bildet. Die Ernte hängt nicht von den Menschen ab, die gesät haben, sondern vielmehr vom Leben im Saatgut. Wachstum erfolgt unabhängig davon, ob der Sämann wach ist oder schläft. Das Saatgut selbst bringt Getreide hervor. Wenn das Leben des Saatguts sich selbst im neuen Getreide vermehrt, kann der Sämann an der Ernte Anteil haben. Er kann das neue Getreide ernten, aber er kann nicht die Ernte hervorbringen.

Dieses Gleichnis wurde erzählt, um den Boten des Evangeliums zu erklären, dass sie ihre Aussaat in völliger Abhängigkeit von der Macht des Wortes vornehmen mussten, damit es selbst Frucht hervorbringen kann. Dieses Gleichnis über das Reich Gottes betont im Wesentlichen, dass zwar Menschen das Wort Gottes aussäen, die Frucht jedoch ein Resultat des Wortes ist, nicht des handelnden Menschen.

Das Unkraut des Ackers

Matthäus 13,24-30

Das Problem

Wenn Christus durch die *„Söhne des Reiches“* (Mt 13,38) in der Welt aktiv ist, das Wort Gottes zu säen, worin wird dann Satans Aktivität im Verlauf dieses Zeitalters bestehen? Und werden diejenigen, welche die gute Saat aussäen, von den Anfeindungen durch den Bösen unbehelligt bleiben? Diese Fragen finden ihre Antwort im vorliegenden Gleichnis.

Die Lösung

Jesus ging erneut von dem bekannten Bild eines Sämanns aus, der gute Saat auf einen Acker sät. Da dieses Gleichnis auf den vorherigen Gleichnissen aufbaut, entspricht die Deutung des Sämanns, des Saatguts und des Ackers hier der zuvor von Jesus getätigten Auslegung. Zu der Offenbarung über den Verlauf des Zeitalters in diesem Gleichnis wird hinzugefügt, dass nach dem Aussäen der guten Saat ein Feind kam und Unkraut unter das Getreide säte. Der Feind, so wird erklärt, ist Satan selbst, der sich dem Wort und dem Werk Gottes energisch widersetzt (Mt 13,39). Das Unkraut, das Satan sät, wird *„die Söhne des Bösen“* genannt (V. 38). Gerade so wie Christus im Verlauf des Zeitalters durch diejenigen wirken wird, die *„die Söhne des Reiches“* (V. 38) sind, so wird Satan durch diejenigen wirken, die zu ihm gehören und seine Werkzeuge im Widerstand gegen das Wort Gottes werden. Es ist festzuhalten, dass es während der Zeit des Aufkeimens und des anfänglichen Wachstums der Saat unmöglich ist, zwischen Getreide und Unkraut zu unterscheiden. Bis zur Ernte kann nicht unterschieden werden, was was ist. Der Grund dafür ist, dass in der anfänglichen Wachstumsphase das Unkraut dem Getreide ähnlichsieht. Erst wenn sich die Ähren an den Getreidepflanzen zu zeigen beginnen, kann man unterscheiden, ob Unkraut gesät worden ist, denn Unkraut bringt kein Korn hervor. Der Lolch besitzt die Eigenschaften des Unkrauts in diesem Gleichnis, deshalb gehen Bibelwissenschaftler in der Regel davon aus, dass dies die Art Unkraut war, von der Jesus sprach.

In diesem Gleichnis offenbarte Christus, dass es bei der guten Aussaat des Wortes gleichzeitig eine schlechte Aussaat durch Satan geben werde. Dieses Aussäen durch Satan und seine Folgen werden das ganze Zeitalter hindurch anhalten. Mit dem fortschreitenden Aufwachsen der Saat wird offenbar werden, dass Unkraut unter das Getreide gesät wurde. In dem Gleichnis machten die Knechte den Vorschlag, durchs Feld zu gehen und das Unkraut auszureißen. Der Versuch, das Getreide vom Unkraut zu trennen, sobald klar wurde, dass es Unkraut auf dem Feld gab, schien ihnen ein kluger Plan zu sein. Doch der Herr wies die Knechte an, das Getreide und das Unkraut nebeneinander aufwachsen zu lassen. Die Trennung sollte nicht vor der Ernte vorgenommen werden, denn beim Versuch, das Unkraut auszureißen, hätten die Knechte auch das Getreide ausgerissen und es anschließend vernichtet. Jesus verstand die Ernte als Bild für das Ende des Zeitalters. Er erklärte: *„Der Sohn des Menschen wird seine Engel aussenden, und sie werden aus seinem Reich alle Ärgernisse zusammenlesen und die, die Gesetzloses tun, und sie werden sie in den Feuerofen werfen; da wird das Weinen und das Zähneknirschen sein. Dann werden die Gerechten leuchten wie die Sonne in dem Reich ihres Vaters“* (Mt 13,41-43).

Weiterhin offenbart dieses Gleichnis, dass Satan während dieses gesamten Zeitalters durch seine Werkzeuge aktiv sein wird. Er wird versuchen zu verhindern, dass das Wort Gottes, das ausgesät worden ist, Früchte trägt, und er wird bis zum Ende des Zeitalters aktiv bleiben. Dann jedoch wird es ein Gericht geben, um die Söhne des Reiches von den Söhnen des Bösen zu trennen.

Dieses Trennungs-Gericht wird in den späteren Gleichnissen durch den Herrn erklärt.

Das Senfkorn

Matthäus 13,31-32

Das Problem

Weil Satan der Aussaat des Wortes entgegenwirkt und Böses aussät, stellte sich die Frage, was wirklich vom Reich stammt. Jesus beantwortete diese wichtige Frage im Gleichnis vom Senfkorn.

Die Lösung

Der Herr verglich das Reich der Himmel mit einem Senfkorn, wobei er es als *„kleiner als alle Arten von Samen"* (Mt 13,32) beschrieb. Dieser Hinweis hat bei vielen, die mit dem sprichwörtlichen Senfkorn vertraut waren, ein Problem mit der Tatsache verursacht, dass es andere Samenkörner gibt, die viel kleiner sind. Das hat Zweifel an der Zuverlässigkeit der Worte Jesu aufgeworfen. Bei einem Besuch des Verfassers in Israel wurde Licht in diesen rätselhaften Hinweis Jesu gebracht. Der Reiseführer führte uns zu einer drei bis vier Meter hohen Pflanze, die einem Baum ähnelte, und riss eine Samenkapsel ab. Als er sie öffnete, erblickten wir die uns bekannten Senfkörner. Dann zerdrückte der Reiseführer diese Körner auf seiner Handfläche. Was übrig blieb, sah aus wie schwarzer Staub. Diesen Staub bezeichnete der Reiseführer als die eigentlichen Senfkörner. Was wir also für gewöhnlich als Senfkorn bezeichnen, ist in Wahrheit nur ein Behälter für eine Vielzahl von Samenkörnern.

Aber vielleicht ist eine bessere Erklärung die, dass Jesus ein bekanntes jüdisches Sprichwort verwendete. Der Durchmesser eines Senfkorns wurde als der kleinste messbare Durchmesser angesehen, und das Gewicht eines Senfkorns als die kleinste Menge, die mit einer Waage gewogen werden konnte. Jesus sprach also von einem kleinen und unbedeutenden Anfang. Im Gleichnis wächst das Senfkorn zu einem Baum heran. Dabei sollen wir nicht an irgendein Unkraut denken, das auf unseren Wiesen wächst und eine Höhe von 30 bis 45 Zentimeter erreicht. Die orientalische Senfpflanze kann in einer Saison bis zur Höhe eines Baumes heranwachsen! Der Verfasser besitzt ein Foto von einer 9,75 Meter hohen Senfpflanze, die innerhalb eines Jahres zu einem Baum heranwuchs. Sie war tatsächlich von ausreichender Höhe, um Vögeln die Möglichkeit zu bieten, ihre Nester in ihren Zweigen zu bauen. Dieser Teil des Gleichnisses betont ein deutlich sichtbares Wachstum größeren Ausmaßes, das einen unbedeutenden Anfang genommen hat. Die Symbolik der Vögel, die in den Zweigen nisten, kann man verstehen, indem man ein ähnliches Bild hinzuzieht, das in Daniel 4 verwendet wird. In einer Vision sah Nebukadnezar einen riesigen, enorm hohen Baum, und Vögel kamen und lebten in seinem Geäst (Dan 4,10-12). Die Frucht des Baumes nährte die darin wohnenden Vögel wie auch die wilden Tiere, die unter dem Baum Zuflucht nahmen. Als Daniel dem Nebukadnezar die Vision auslegte, erklärte er, dass der Baum für Nebukadnezars Königreich stand, und die Vögel und die wilden Tiere standen für diejenigen Nationen, die von Nebukadnezars Herrschaft profitierten. Wendet man die Auslegung der Baum-Vision aus dem Danielbuch auf das aktuelle Gleichnis an, kann man erkennen, dass Jesus lehrte, dass das Reich in seiner neuen Form, auch wenn es einen nur unbedeutenden Anfang hatte, zu enormer Größe heranwachsen und Segen und Zuwendungen für die vielen Menschen bereithalten werde, die hineinkommen würden.

Diese neue Form der Gottesherrschaft nahm einen unbedeutenden Anfang. Elf[1] Männer trafen sich in dem Obersaal

1 Judas hatte die Gemeinschaft vorzeitig verlassen (Anm. d. dt. Hg.).

mit Jesus am Vorabend seiner Kreuzigung. Einhundertzwanzig versammelten sich zum Gebet zwischen seiner Himmelfahrt und dem Herabkommen des Heiligen Geistes an Pfingsten. Aus solch einem kleinen Anfang begann sich das Reich in seiner neuen Form auszubreiten. In Apostelgeschichte 2 ist es auf dreitausend angewachsen, und in Apostelgeschichte 4,4 gehörten bereits fünftausend dazu. Am Ende der Apostelgeschichte wird berichtet, dass die ganze Welt das Evangelium gehört hatte (vgl. Kol 1,6).

Dieses Gleichnis wurde also erzählt, um die Hörer zu dem Glauben zu ermutigen, dass die neue Form der Gottesherrschaft immer größere Ausmaße erreichen würde, trotz ihres unbedeutenden Anfangs und trotz Satans Widerstand.

Der unters Mehl gemengte Sauerteig

Matthäus 13,33

Das Problem

Das Gleichnis vom unters Getreide gesäten Unkraut (Mt 13,24-30) entsprang der Frage, ob Satan den Fortschritt des Reiches aufhalten kann. Die Antwort lässt sich durch eine Untersuchung der Natur des Sauerteigs finden.

Die Lösung

Da Brot zur Zeit Jesu einen wichtigen Bestandteil der Ernährung bildete, waren die Menschen sehr vertraut mit dem, worauf in diesem Gleichnis Bezug genommen wurde. Eine Hausfrau mahlte jeden Tag Getreide zu Mehl. Dabei vermengte sie das Mehl mit etwas Teig, das vom Brotbacken des Vortags übrig gelassen worden war. Das Ganze wurde dann beiseitegestellt, sodass die Hefe aus dem Klumpen Teig vom Vortag ihre Arbeit tun und den neuen Teig aufgehen lassen konnte, damit er zu Brot gebacken werden konnte.

In der Bibel wird Sauerteig das erste Mal in 2. Mose 12,8.15-28 erwähnt, wo die Israeliten angewiesen wurden, allen Sauerteig zurückzulassen, wenn sie nach dem Passah aus dem Land der Knechtschaft wegziehen würden. Sauerteig stand für die fortdauernde Verbindung mit der Vergangenheit. Den Israeliten waren Hefewürfel unbekannt, mit denen sie hätten Brot backen können. Stattdessen legte die Hausfrau, sobald etwas ungebackener Teig für den Ofen bereitstand, ein wenig davon beiseite, um es als Sauerteig für die Zubereitung am nächsten Tag zu benutzen. Das wurde Tag für Tag gemacht, sodass der Sauerteig eine fortdauernde Verbindung mit der Vergangenheit darstellte. Die Israeliten wurden bei ihrem Auszug aus Ägypten jedoch angehalten, allen Sauerteig zurückzulassen, weil sie einen vollständigen Bruch mit ihrer vorherigen Knechtschaft vollziehen und in ein völlig neues Leben eintreten sollten.

Ich erinnere mich noch lebhaft an eine Veranschaulichung aus meiner Studienzeit am Theologischen Seminar, als wir in einer ländlichen Gegend in Texas Dienste taten. Ich war im Haus eines älteren Mannes zum Abendessen eingeladen, der seit ungefähr siebzig Jahren in diesem Haus lebte. Der Gastgeber war als Dreijähriger mit seinen Eltern von Tennessee nach Texas gekommen. Beim Essen wurde uns köstliches, noch warmes Brot serviert. Mein Gastgeber ließ mich wissen, dass dieses Brot mit Sauerteig gemacht worden war, den seine Mutter ungefähr siebzig Jahre zuvor aus Tennessee mitgebracht hatte. Er war sehr stolz darauf, diesen Sauerteig all diese Jahre am Leben erhalten zu haben. Darüber hinaus erklärte er, dass das Brot in einem Kohlenherd gebacken worden war, und dass das Feuer darin aus dem Herd mitgebracht worden war, den seine Eltern in Tennessee zurückgelassen hatten, und dass das Feuer über diese siebzig Jahre in Gang gehalten worden war. Auf den Sauerteig und das Feuer war dieser ältere Herr sehr stolz. Er sah das als eine ununterbrochene Verbindung mit seinem Erbe in der Vergangenheit an.

Jesus gebrauchte also den Sauerteig nicht dazu, um zu lehren, dass das Reich beeinträchtigt werden würde, denn er hatte bereits Nikodemus erklärt, dass nur diejenigen in das Reich eingehen können, die wiedergeboren wurden. Und in späteren Gleichnissen erklärte er, dass die Geretteten nicht nur jetzt schon im Reich sind, sondern auch ihren Anteil an der messianischen Form des Reiches haben werden, das noch kommen wird. Daher liegt der

Schwerpunkt nicht auf dem Wesen des Sauerteigs, der für das Böse stehen könnte, sondern vielmehr auf der Art, wie dieser Sauerteig eingesetzt wird und wirkt, wenn er erst einmal unter die Zutatenmischung gemengt worden ist. Wenn eine Hausfrau Sauerteig unter die Zutaten mengt, aus denen sie das Brot machen will, setzt sie einen Prozess in Gang, der unumkehrbar ist und der durchdringend, beharrlich und unsichtbar weiterlaufen wird, bis die gesamte Mischung für den Backofen bereit ist. Die Hausfrau hat keine Möglichkeit, diesen Prozess zu unterbrechen oder umzukehren, sobald er einmal begonnen hat.

Jesus lehrte mit diesem einfachen Bild also, dass die neue Form der Gottesherrschaft, nachdem sie einmal begonnen hatte, durchdringend und unumkehrbar funktionieren wird. Die Aussaat des Wortes wird unaufhaltsames Wachstum hervorrufen. Alle irdischen Reiche wurden auf militärische Macht gegründet. Sie wurden durch großen, äußeren Kraftaufwand aufrechterhalten. Jesus lehrte, dass diese neue Form der Gottesherrschaft nicht durch äußere Kraft oder sichtbare Macht eingesetzt wird, sondern vielmehr durch ein stilles Wirken von Innen.

Der im Acker verborgene Schatz und die kostbare Perle

Matthäus 13,44-45

Das Problem

Das Alte Testament macht deutlich, dass Gott die Nation Israel dazu erwählt hat, sein Volk unter seiner Herrschaft zu sein, durch das er sich selbst vor der Welt verherrlichen würde. Daraus ergibt sich die Frage, was mit der neuen Form der Gottesherrschaft erreicht werden sollte. Welcher Nutzen würde Gott in diesem gegenwärtigen Zeitalter durch die neue Form des Reiches Gottes entstehen?

Die Lösung

Jesus erzählte zwei Gleichnisse, um eine Antwort auf diese Frage zu bieten. Die Schwierigkeit bei der Auslegung dieser beiden Gleichnisse liegt in der Festlegung, ob sie von einem menschlichen oder von einem göttlichen Standpunkt aus verstanden werden müssen. Wenn der Mann im ersten Gleichnis und der Kaufmann im zweiten Gleichnis für einzelne Personen stehen, dann lehren die Gleichnisse, wie wertvoll das Reich ist und wie wünschenswert es ist, dort hineinzugelangen. Nach dieser Auslegung sind der Acker im ersten Gleichnis und die Perle im zweiten jeweils Bilder, die für das Reich stehen. Die Freude, von der im ersten Gleichnis die Rede ist, ist die Erkenntnis vom Wert dieses Reiches. Der Verkauf in den beiden Gleichnissen steht für das Opfer, das vom Suchenden gebracht wird, um in das Reich einzugehen. Und der Kauf in beiden steht für den Eingang in das Reich. Die Lektion der Gleichnisse ist dann, dass die Zuhörer der Gleichnisse jedes notwendige Opfer aufbringen sollen, um in das Reich einzugehen, das ihnen Christus anbot, und zwar wegen des Nutzens, der ihnen aus der Teilnahme am Reich erwachsen wird.

Diese Auffassung ist möglich, doch sie enthält ein wesentliches Problem. Sie erweckt nämlich den Anschein, als ob Menschen durch ihr eigenes Opfer und durch ihre eigenen Anstrengungen in das Reich eingehen könnten. Weil jedoch der Eingang ins Reich auf der Neugeburt beruht (Joh 3,5), würde diese Ansicht eine falsche Heilslehre vermitteln. Also scheint es besser zu sein, die Gleichnisse von einem göttlichen Standpunkt aus zu betrachten. Der Mann im ersten und der Kaufmann im zweiten stehen dann für Christus selbst. Der Acker im ersten steht für die Welt, wie auch in vorhergehenden Gleichnissen in dieser Reihe. Der Kauf des Ackers und der Perle beziehen sich auf Christi Werk am Kreuz, um für die Rettung von den Sünden der ganzen Welt zu sorgen. Wir lesen: *„Und er ist die Sühnung für unsere Sünden, nicht allein aber für die unseren, sondern auch für die ganze Welt“* (1Jo 2,2); und dass *„Gott in Christus war, und die Welt mit sich selbst versöhnte, ihnen ihre Übertretungen nicht zurechnete“* (2Kor 5,19). Dieser Kauf schuf dann die Basis, auf der die neue Form der Gottesherrschaft aufgebaut wird. Durch den Kauf erwarb der Käufer einen Schatz und eine kostbare Perle. Sie stehen für Dinge, die für den Käufer sehr wertvoll sind. Der Schatz, der im Acker verborgen liegt, kann ein Hinweis auf einen Rest aus Israel sein, der seine Rolle in der neuen Form des Reiches spielen wird. Daher schrieb Paulus: *„So ist nun auch in der jetzigen Zeit ein Rest nach Auswahl der Gnade entstanden“* (Röm 11,5). Die Perle kann ein Hinweis auf jene unter den Heiden sein, die Anteil an dieser neuen Form der Gottesherrschaft haben würden. Das ist der Grund für den Hinweis von Jakobus auf das, was Petrus auf dem Apostelkonzil in Jerusalem dargelegt hatte, dass *„Gott zuerst darauf gesehen hat, aus den Nationen ein Volk zu nehmen für seinen Namen“* (Apg 15,14). Es ist auch die Grundlage für die Lehre von Paulus, als er schrieb: *„Denn er ist unser Friede. Er hat aus beiden eins gemacht und die Zwischenwand der Umzäunung, die Feindschaft, in seinem Fleisch abgebrochen. Er hat das Gesetz der Gebote in Satzungen beseitigt, um die zwei [Juden und Heiden] – Frieden stiftend – in sich selbst zu einem neuen Menschen zu schaffen und die beiden in einem Leib mit Gott zu versöhnen durch das Kreuz, durch das er die Feindschaft getötet hat. Und er kam und hat Frieden verkündigt euch, den Fernen, und Frieden den Nahen. Denn durch ihn haben wir beide durch einen Geist den Zugang zum Vater“* (Eph 2,14-18).

Also offenbarten diese beiden Gleichnisse, dass Jesus in Verbindung mit der neuen Form der Gottesherrschaft etwas sehr Kostbares für sich erwirbt, das sowohl aus Juden als auch aus Heiden besteht.

Das Netz

Matthäus 13,47-50

Das Problem

Jede frühere Form göttlicher Regierung endete mit Gericht: die Vertreibung aus dem Garten Eden, die katastrophale Flut, die Zerstreuung von Babel und die babylonische Gefangenschaft. Also kam die Frage auf, wie diese neue Form der Gottesherrschaft wohl enden würde. Die Antwort gab Christus in dem Gleichnis vom Netz.

Die Lösung

Das Fischen im See Genezareth ging normalerweise so vonstatten: Man spannte ein Netz zwischen zwei Boote und zog es durch das Wasser. Anschließend schleppte man das gefüllte Netz ans Ufer. Da in das Netz alle Arten von Fischen gerieten, mussten die Fischer die essbaren von den ungenießbaren Fischen trennen. Die guten Fische wurden zum Markt gebracht, und die ungenießbaren Fische wurden weggeworfen. Diese übliche Praxis wurde von unserem Herrn zur Veranschaulichung dessen verwendet, was am Ende des Zeitalters geschehen wird. Jesus sagte, dass dann Menschen durch den Einsatz von Engeln gesammelt werden. Die Gerechten werden in dem kommenden Tausendjährigen Reich willkommen geheißen, doch die Gottlosen werden ausgeschlossen werden. Kein Mensch, der nicht gerettet ist, wird ins Tausendjährige Reich des Herrn eingehen. Die Bestimmung der Gottlosen wird letztlich der Feuerofen sein, *„da wird das Weinen und das Zähneknirschen sein“* (Mt 13,42). Jesus meinte mit dem Feuerofen, dass die Gottlosen in den *„Feuersee“* geworfen werden (vgl. Offb 20,14-15). Die Gottlosen werden jedoch nicht unmittelbar dem Feuersee überantwortet, sondern zunächst in den Hades gelangen, indem sie offenbar den physischen Tod erleiden. Dort werden sie festgehalten, bis sie zum Gericht vor dem großen weißen Thron auferweckt werden (Offb 20,11-15). Danach werden sie auf ewig dem Feuersee übergeben werden.

Das Gleichnis offenbart also, dass auch die gegenwärtige Form der Gottesherrschaft mit einem Gericht enden wird, in dem die Gottlosen aus der zukünftigen Form des Reiches entfernt werden. Die Gerechten aber werden in dieses Tausendjährige Reich aufgenommen werden.

KAPITEL 10

Der Hausherr

Matthäus 13,52

Das Problem

Nachdem Jesus die neue Form des Reiches durch Gleichnisse offenbart hatte, mögen sich seine Zuhörer wohl gefragt haben, was ihre Verantwortung war im Blick auf die Wahrheit, die ihnen vermittelt wurde. Die Antwort des Herrn darauf war das Gleichnis vom Hausherrn.

Die Lösung

Jesus übernahm während des Verlaufs seines irdischen Dienstes oftmals die Rolle eines Rabbiners und wurde daher häufig als „*Rabbi*" angesprochen (Joh 3,2 u. a.). Die ihn lehren hörten, „*erstaunten ... sehr über seine Lehre; denn er lehrte sie wie einer, der Vollmacht hat, und nicht wie ihre Schriftgelehrten*" (Mt 7,28-29). Als kluger Lehrer tat Jesus, was ein Reicher tat, der große Vorräte angesammelt hatte. Ein wohlhabender Mensch ging regelmäßig in seine Vorratshäuser und brachte Dinge heraus, die an Bedürftige verteilt werden konnten. Ein wohlhabender Mensch kann neuen Wein oder alten Wein herausbringen, neues oder altes Korn. Der Eigentümer hat nicht nur Vorräte für seinen persönlichen Bedarf gesammelt, sondern auch für diejenigen, für die er verantwortlich war. Jesus lehrte in diesem Gleichnis, dass einige Eigenschaften dieser neuen Form der Gottesherrschaft den früheren Formen göttlicher Regierung ähneln, während andere Aspekte neu und einzigartig sind. Beispiele für neue Aspekte sind Wahrheiten wie die universale Proklamation des Reiches, Satans Nachahmung des Reiches, das äußere Wachstum und die innere Kraft des Reiches.

Doch die Hinweise, dass das Reich sowohl Israel als auch Heiden umfassen wird und dass die neue Form des Reiches mit einem Gericht enden wird, sind den früheren Offenbarungen über die Gottesherrschaft ähnlich und wären daher alte Wahrheiten.

Einige der Zuhörer sollten in der neuen Form des Reiches Verwalter sein. Diese hat der Herr wohl im Sinn gehabt, um sie in Bezug auf die neuen Wahrheiten über die neue Form des Reiches zu unterweisen. Ihre Verantwortung würde darin bestehen, dieses Wissen auf dieselbe Weise weiterzugeben, wie der Eigentümer des Hauses seinen Reichtum mit denen teilte, für die er verantwortlich war.

KAPITEL 11

Der unbarmherzige Knecht

Matthäus 18,21-35

Der Hintergrund

Im vorausgehenden Textzusammenhang wurde Jesus gefragt: *„Wer ist denn der Größte im Reich der Himmel?“* (Mt 18,1). Indem er ein Kind zur Veranschaulichung heranzog, antwortete er: *„Darum, wenn jemand sich selbst erniedrigen wird wie dieses Kind, der ist der Größte im Reich der Himmel“* (V. 4). In der damaligen orientalischen Gesellschaft besaß ein Kind keine Rechte; also lehrte Jesus, dass derjenige, der seine persönlichen Rechte aufgab und sich seiner Autorität unterordnete, Anteil haben würde am Himmelreich. Er warnte die Jünger davor, eines dieser *„Kleinen“*, also der Kinder des Reiches, zur Sünde zu verführen (V. 6). Solche *„Kleinen“* sind Gegenstand der Aufmerksamkeit Gottes, und ihnen sind Engel zugeteilt, die sie beschützen (V. 10). Jesus war sich bewusst, dass die Mitgliedschaft in der Familie Gottes Missverständnisse und Verletzungen nicht ausschloss, und so gab er detaillierte Anweisungen, wie solche Differenzen beigelegt werden sollten (V. 15-17).

Das Problem

Die Unterweisung über Konflikte und Missverständnisse warf bei Petrus eine Frage über die Verpflichtung auf, dem Täter zu vergeben. Petrus wusste, dass Vergebung eine Eigenschaft Gottes war und die Gerechten diesem Beispiel folgen sollten. Petrus wusste auch, dass die Pharisäer Vergebung als Beweis persönlicher Rechtschaffenheit forderten. Die Pharisäer verlangten, dass man einem Missetäter zweimal vergibt. Vielleicht erinnerte sich Petrus daran, dass Jesus gesagt hatte: *„... wenn jemand dich auf deine rechte Backe* *schlagen wird, dem biete auch die andere dar*" (Mt 5,39). Es hatte also den Anschein, als wäre die Forderung Jesu dieselbe wie die der Pharisäer. Die Pharisäer hatten noch ergänzt, dass jemand, der über die Forderung der pharisäischen Gesetzesauslegung hinausgehen wollte, dreimal vergeben sollte. Also fragte Petrus den Herrn: *„Herr, wie oft soll ich meinem Bruder, der gegen mich sündigt, vergeben? Bis siebenmal?*" (18,21). Zweifellos erinnerte sich Petrus an Jesus Forderung, dass ihre Gerechtigkeit die Gerechtigkeit der Schriftgelehrten und der Pharisäer übertreffen sollte (5,20). Und zweifellos würde „siebenmal" das Maß des Pharisäertums übertreffen. Petrus wollte wissen, ob dieses Maß an Vergebung eine Veranschaulichung der Gerechtigkeit wäre, die den Anforderungen Jesu genügen würde.

Die Lösung

Auf Petrus' Frage über die Vergebung, welche die Gerechtigkeit erfordert, gab Jesus zur Antwort, dass Petrus *„nicht bis siebenmal, sondern bis siebzigmal siebenmal*" vergeben sollte. Dem jüdischen Sprachgebrauch gemäß bedeutete *„siebzigmal siebenmal*" unzählige Male. Damit machte Jesus klar, dass Gerechtigkeit immer wieder Vergebung erfordert, und zwar ohne zu zählen, wie oft vorher schon Vergebung gesucht und gewährt worden ist.

Um diese Wahrheit weiter auszuführen, erzählte Christus das Gleichnis vom unbarmherzigen Knecht. In diesem Gleichnis zog ein König seine Diener zur Rechenschaft. Einer schuldete ihm tausend Talente. Ein Talent wog ungefähr zwischen 30 und 40 Kilo. Rechnet man diese Summe in unsere Währung um, so schuldete der Knecht seinem Herrn einige Millionen Euro. Da der Knecht diese Summe nicht zurückzahlen konnte, befahl der König, dass er in die Sklaverei verkauft werden sollte, um die Schuld zu begleichen. Dazu war er berechtigt. Aber weil der Preis eines Sklaven bei dreißig Silbermünzen lag, konnten durch die Versklavung des

Knechtes die Schulden unmöglich beglichen werden. Obwohl der Knecht eine Schuld angesammelt hatte, die in einem ganzen Arbeitsleben nicht zurückgezahlt werden konnte, bat er um weiteren Aufschub. Der König war dazu nicht verpflichtet, doch er war ein gnädiger Herrscher; daher übertraf er die Bitte seines Knechtes und erließ ihm die Schuld, sodass er völlig schuldenfrei war, als er anschließend hinausging.

In seinem Gleichnis stellte Jesus daraufhin den Knecht, der solch eine grenzenlose Gnade erfahren hatte, als Gläubiger eines seiner Kollegen dar, der ihm hundert Denare schuldete, also eine vergleichsweise geringe Summe. Ein Denar war der Lohn für einen Tag Arbeit. Solch eine Schuld konnte durch Sparsamkeit und Fleiß des Schuldners durchaus beglichen werden. Als der Gläubiger die sofortige Rückzahlung forderte, bat der Schuldner um weiteren Aufschub, verbunden mit dem Versprechen, die Schuld zu bezahlen. Doch der Gläubiger ließ den Schuldner ins Gefängnis werfen, bis die Schuld beglichen war. Dieser Mangel an Barmherzigkeit, die der Gläubiger an den Tag legte, wurde dem König von den Freunden des Schuldners zugetragen. Daraufhin wurde der, dem die Schulden erlassen worden waren, vor den König gerufen, der ihm vorhielt: *„Jene ganze Schuld habe ich dir erlassen, weil du mich batest. Solltest nicht auch du dich deines Mitknechtes erbarmt haben, wie auch ich mich deiner erbarmt habe?“* (Mt 18,32-33).

In der Antwort des Königs auf den Mangel an Barmherzigkeit des gottlosen Dieners finden wir Jesu Antwort auf die Frage von Petrus. Der Knecht, dem vergeben worden war, hatte die Pflicht, Schuldnern in demselben Maß zu vergeben, wie der König seine Vergebung ausgeweitet hatte. Weil dem Diener gegenüber die Gnade überreich gewährt wurde, war dieser Knecht als Gläubiger dazu verpflichtet, Schuldnern, die Vergebung suchten, die Gnade ebenso großzügig zu gewähren. Weil wir von Natur aus Sünder sind, haben wir Schuld angesammelt, die wir nicht begleichen können. Christus hat in seiner Barmherzigkeit eine Erlösung für Sünder bereitet. Und wer Gottes Vergebung durch Jesus Christus sucht, dem wird voller Barmherzigkeit all seine Schuld vergeben. Niemand kann die eigene Verschuldung Gott gegenüber ermessen, für die Gott ihm Vergebung erwiesen hat. Deshalb sollte es keine Begrenzung der Vergebung geben, die wir denen gewähren, die von uns Vergebung erbitten.

Der letzte Teil des Gleichnisses hat viele gestört, denn auf den ersten Blick scheint es, als würde Christus lehren, dass wir unser Heil verlieren, wenn wir Gottes Vergebung empfangen haben und selbst nicht vergeben wollen. Doch Christus lehrte hier in Wirklichkeit, dass jemand, der nicht vergibt, damit den Nachweis erbringt, dass er keine Vergebung von Gott empfangen hat und deshalb aus der Gegenwart Gottes entfernt werden muss.

KAPITEL 12

Der gute Hirte

Johannes 10,1-18

Der Hintergrund

Jesaja, der den kommenden Messias anschaulich schilderte, schrieb: *„Siehe, der Herr, HERR, kommt als Starker, und sein Arm übt die Herrschaft für ihn aus. Siehe, sein Lohn ist bei ihm, und seine Belohnung geht vor ihm her. Er wird seine Herde weiden wie ein Hirte, die Lämmer wird er in seinen Arm nehmen und in seinem Gewandbausch tragen, die säugenden Muttertiere wird er fürsorglich leiten"* (Jes 40,10-11). Indem er sich Israel als Messias anbot, beanspruchte Jesus, der Hirte Israels zu sein, der seine Herde auf grüne Auen und zu stillen Wassern führen wird. Jesus wies sowohl durch seine Worte als auch durch seine Werke nach, dass er der rechtmäßige und verheißene Messias war. Das ganze Volk war an der Debatte über seine Person beteiligt. Die Führer der Nation blieben unnachgiebig in ihrer Entscheidung, dass er nicht der war, der er zu sein beanspruchte, sondern vielmehr ein gotteslästerlicher Betrüger, der seine Macht vom Satan bezog und nicht von Gott.

Das Problem

In Johannes 9 hatte Jesus das bemerkenswerte Wunder vollbracht, einen Blindgeborenen zu heilen. Indem er die körperliche Blindheit dieses Mannes heilte, zeigte er dem Volk Israel, dass er der Eine war, der ihre geistliche Blindheit wegnehmen konnte (vgl. Joh 9,35-38). Durch dieses Wunder stellte sich die Frage nach der Identität Jesu. Wer war er? War er wirklich der Messias? Jesus beantwortete diese Frage durch das Gleichnis vom Hirten und seinen Schafen.

Schafhürden waren Einfriedungen, deren Begrenzungen aus Stein oder Dornenhecken bestanden und mit einem schmalen Eingang versehen waren. Die Einfriedung war bei Gefahr oder schlechtem Wetter ein Rückzugs- und Schutzort für die Herde. Mehrere Herden konnten in einer einzigen Schafhürde Zuflucht finden. Die Tür zu der Schafhürde wurde gesichert und von einem Wächter bewacht. Wenn die Gefahr vorüber war, kam der Hirte zurück und der Wächter öffnete ihm die Tür. Der Hirte stellte sich an die Tür und rief seine Schafe. Die Schafe eines Hirten kannten seine Stimme, und so trennten sie sich von den anderen Herden, die in der Schafhürde beschützt wurden. Sie folgten ihrem eigenen Hirten aus der Hürde heraus auf die Weide und zum Wasser.

Indem er dieses bekannte Bild gebrauchte, machte Jesus erst einmal deutlich, dass er ein wahrer Hirte war. Er war durch die Tür in die Schafhürde gekommen, also auf dem dafür vorhergesehenen Weg. Wäre er ein Dieb gewesen, der eines anderen Schafe hätte wegführen wollen, hätte er versucht, auf anderem Weg Zugang zu den Schafen zu bekommen, statt sich vor dem Wächter auszuweisen. Die Schafhürde in diesem Bild stellt die Nation Israel dar. In Israel gab es jedoch viele, die sich als Hirten bezeichneten, aber tatsächlich keine waren. Das wurde von Sacharja vorausgesagt: „*Und der HERR sprach zu mir: Nimm dir noch einmal Gerät eines Hirten und verhalte dich wie ein törichter Hirte. Denn siehe, ich lasse einen Hirten im Land aufstehen: Um die verkommenden Tiere kümmert er sich nicht, das Versprengte sucht er nicht, und das Zerbrochene heilt er nicht, das Gesunde versorgt er nicht, aber das Fleisch des Fetten isst er und zerreißt sogar ihre Klauen*“ (Sach 11,15-16). In der Bildersprache dieses Gleichnisses wurde Johannes der Täufer als Wächter dargestellt, dessen Aufgabe darin bestand, dem Volk Israel den kommenden Messias in Übereinstimmung mit der Prophezeiung aus Maleachi 3,1 vorzustellen. Diese Aufgabe hatte Johannes erfüllt und Jesus dem Volk als den Retter und auch als den kommenden Herrscher vorgestellt (Mt 3,2; Joh 1,29). Jesus ist mit dem wahren Hirten gleichzusetzen, denn er kam in Übereinstimmung mit den Prophezeiungen, die sein Kommen beschreiben. Er wurde von einer Jungfrau geboren (Jes 7,14; Mt 1,22-23). Er wurde in Bethlehem geboren (Mi 5,2; Lk 2,4-7). Er stammte von David ab (2Sam 7,16; Mt 1,1-17; Lk 3,23-37). Die Liste der Belege könnte vielfach fortgeführt werden, um zu zeigen, dass jede Prophezeiung, die im Alten Testament über die Person und das Werk Christi gegeben wurde, bei seinem ersten Kommen erfüllt wurde. Die Erfüllung der Prophetie zeigt, dass er der wahre Hirte ist. Doch umgekehrt konnte keiner der Pharisäer, die beanspruchten, Hirten zu sein, und versuchten, Autorität über die Herde zu gewinnen, solch einen Beweis erbringen.

Ein zweiter Beweis, dass Jesus der war, der er zu sein beanspruchte, besteht darin, dass diejenigen, die seine Schafe sind, auf seine Stimme hören, ihn erkennen und bereit sind, ihm zu folgen (Joh 10,34). Die gesamte Herde, das heißt das Volk Israel, erkannte ihn bei seinem ersten Kommen nicht und nahm ihn nicht an, doch ein kleiner Rest setzte sein Vertrauen auf ihn und erkannte an, dass er der wahre Hirte ist; und einzelne Juden haben ihm seither weiterhin vertraut. Christus beantwortete somit in dieser Gleichnisrede die Frage, wer er war.

Das führt zu einer zweiten Frage: Was für eine Art von Hirte ist er? In dem Ausspruch „*Ich bin die Tür; wenn jemand durch mich hineingeht, so wird er gerettet werden*“ (Joh 10,9) ist er daher der Hirte, der für Rettung sorgt. Darüber hinaus ist er auch der Hirte, der befreit, denn seine Schafe werden „*ein- und ausgehen und Weide finden*“. Das betont das Vorrecht oder die Freiheit, die er herbeiführt. Darüber hinaus ist er ein Hirte, der die Bedürfnisse zufriedenstellt. Seine eigenen Schafe werden „*Weide finden*“, denn er ist „*gekommen, damit sie Leben haben und es in Überfluss haben*" (V. 8-10). Mehr noch: Er ist der Hirte, der „*sein Leben für die Schafe*" lässt (V. 11.15.18). Das zeigt, dass die Fürsorge dieses Hirten nicht sich selbst gilt, sondern den Schafen. Dies sind Kennzeichen Christi als Hirte, die zu besitzen ein falscher Hirte niemals für sich beanspruchen könnte. Diese Kennzeichen Christi als Hirte beweisen überdies, dass er wahrhaftig der ist, der er zu sein beansprucht – der wahre Hirte Israels.

KAPITEL 13

Der barmherzige Samariter

Lukas 10,30–37

Der Hintergrund

Das Volk Israel war sich durch die Worte und Werke Jesu Christi vollkommen bewusst, dass er sich ihnen als ihr Messias angeboten hatte und das verheißene und dem Bund mit David entsprechende Reich verkörperte. Das Alte Testament war unmissverständlich: Gerechtigkeit ist die Vorbedingung für den Eintritt in dieses Reich. Das Volk wurde durch die Beweise, die Jesus für die Echtheit seines Angebots vorlegte, ausreichend überzeugt, um sich mit Fragen über die Gerechtigkeit zu befassen. Es muss allgemein bekannt gewesen sein, dass Jesus die Gerechtigkeit der Pharisäer ablehnte, wenn es darum ging, dass sie eine annehmbare Grundlage für den Eingang in sein Reich darstellen sollte. Statt pharisäischer Gerechtigkeit forderte Jesus Vollkommenheit; er sagte: *„Ihr nun sollt vollkommen sein, wie euer himmlischer Vater vollkommen ist"* (Mt 5,48). Gelehrte, die sich mit dem mosaischen Gesetz befassten, kamen immer wieder zu Jesus, um ihn nach seiner Auslegung des Gesetzes zu fragen und sein Verständnis von Gerechtigkeit zu diskutieren.

Das Problem

Zwei miteinander verwandte Fragen wurden von den Gesetzesexperten gestellt, und zwar im Kontext unmittelbar vor dem Gleichnis vom barmherzigen Samariter. Die Fragen stehen in Lukas 10,25 und 29, und beide werden Jesus im Hinblick auf sein Verständnis von Gerechtigkeit gestellt, eine Gerechtigkeit, die einem heiligen Gott gefallen würde.

Die Lösung

Der Gesetzesexperte in Lukas 10 sprach Jesus als „Lehrer" an (Lk 10,25). Indem er ihn auf diese Weise ansprach, erkannte er ihn als Gesetzeskundigen an und zeigte, dass er Jesu Interpretation der Gesetzesgerechtigkeit diskutieren wollte. Seine erste Frage lautete: *„Lehrer, was muss ich getan haben, um ewiges Leben zu erben?"* (V. 25). Diese Frage wurde vielfach missverstanden und benutzt, um zu belegen, dass die Erlösung durch Werke erlangt werden kann. Das steht jedoch im Gegensatz zum gesamten Tenor der Schrift. Paulus sagte: *„Als aber die Güte und die Menschenliebe unseres Retter-Gottes erschien, rettete er uns, nicht aus Werken, die, in Gerechtigkeit vollbracht, wir getan hätten, sondern nach seiner Barmherzigkeit durch die Waschung der Wiedergeburt und Erneuerung des Heiligen Geistes. Den hat er durch Jesus Christus, unseren Retter, reichlich über uns ausgegossen, damit wir, gerechtfertigt durch seine Gnade, Erben nach der Hoffnung des ewigen Lebens wurden"* (Tit 3,4-7). Paulus ergänzte: *„Denn aus Gnade seid ihr gerettet durch Glauben, und das nicht aus euch, Gottes Gabe ist es; nicht aus Werken, damit niemand sich rühmt"* (Eph 2,8-9). Dieses Glaubensprinzip wurde nicht nur im Neuen Testament klar formuliert, sondern es galt auch im Alten Testament, denn Paulus schrieb: Auch wir Juden haben *„an Christus Jesus geglaubt, damit wir aus Glauben an Christus gerechtfertigt werden und nicht aus Gesetzeswerken, weil aus Gesetzeswerken kein Fleisch gerechtfertigt wird"* (Gal 2,16). Dazu muss man wissen, dass im jüdischen Denken das Eingehen in das messianische Reich gleichbedeutend damit war, ewiges Leben zu erlangen. Das Tausendjährige Reich galt als Sprungbrett für das ewige Reich. Wer im Tausendjährigen Reich war, würde auch im ewigen Reich sein. Daher war der Eingang ins Tausendjährige Reich gleichbedeutend mit dem Eingang ins ewige Reich.

Die Frage des Gesetzesexperten in Lukas 10,25 muss daher in dieser Bedeutung verstanden werden: „Wie gerecht muss ich sein, um in das messianische Reich einzugehen, das du anbietest?" Oder: „Welche Gerechtigkeit muss ich in meinem Leben zeigen, um zu demonstrieren, dass ich ausreichend gerecht bin, um in das Reich eingehen zu dürfen?"

Die Schrift lehrt, dass Werke zwar keine Gerechtigkeit hervorbringen, Gerechtigkeit aber Werke hervorbringen wird. Das war das Argument von Jakobus, als er sagte: *„Was nützt es, meine Brüder, wenn jemand sagt, er habe Glauben, hat aber keine Werke? Kann etwa der Glaube ihn retten? ... So ist auch der Glaube, wenn er keine Werke hat, in sich selbst tot. ... ich werde dir aus meinen Werken den Glauben zeigen!"* (Jak 2,14.17-18). Wir dürfen die Frage des Mannes in Lukas 10,25 nicht so verstehen, als würde er wissen wollen, was er tun könne, um gerettet zu werden; ein solches falsches Verständnis wird uns dazu bringen, Jesus misszuverstehen, wenn er antwortete: *„Was steht in dem Gesetz geschrieben? Wie liest du? ... tu dies, und du wirst leben"* (V. 26.28). Jesus sagte dem Mann nicht, dass er gerettet würde, wenn er das Gesetz einhält. Der Mann wollte wissen, wie gerecht er sein muss, um in das Reich einzugehen, und welche Werke er tun konnte, um zu beweisen, dass er gerecht gemacht wurde. Bei der Beantwortung der Frage gebrauchte Jesus das Gesetz rechtmäßig. Das Gesetz wurde in erster Linie dazu geschaffen, die Heiligkeit Gottes zu offenbaren (1Petr 1,15-16). Es offenbarte auch die Ansprüche, die Gott an diejenigen stellte, die von ihm angenommen werden und in Gemeinschaft mit ihm leben wollten (Mt 5,48). Dieser Gesetzesgelehrte konnte das Gesetz erforschen, und aus dem Gesetz würde er erkennen, dass Gott heilig ist. Darüber hinaus konnte dieser Gesetzesexperte die Anforderungen kennen, die Gottes Heiligkeit an diejenigen stellte, die Gemeinschaft mit ihm haben wollten – diejenigen, die in das Reich des Messias aufgenommen werden wollten.

Dass der Mann mit dem Gesetz gründlich vertraut war, zeigte sich in seiner Antwort auf Jesu Frage, was das Gesetz forderte: „*,Du* *sollst den Herrn, deinen Gott, lieben aus deinem ganzen Herzen und mit deiner ganzen Seele und mit deiner ganzen Kraft und mit deinem ganzen Verstand und deinen Nächsten wie dich selbst*‘“ (Lk 10,27). Er zitierte 5. Mose 6,5 und 3. Mose 19,18. Jesus ließ die Antwort des Mannes gelten und fasste die Anforderungen des Gesetzes in ähnlicher Weise zusammen (Mt 22,36-40).

Es ist leicht ersichtlich, dass dieses Wissen nicht zufriedenstellend war. Das Wissen des Mannes bewirkte nur Verurteilung, denn er wollte *„sich selbst rechtfertigen“* (Lk 10,29). Es wird deutlich, dass der Mann verurteilt war, und zwar durch das Wissen über sein Unvermögen, die Früchte der Gerechtigkeit hervorzubringen, die ihm Einlass in das Reich des Messias gewährten. Seine Verteidigung war seine Unwissenheit. Er fragte: *„Und wer ist mein Nächster?“* Damit deutete er an, dass nicht er daran schuld war, wenn er diese Erweise seiner Gerechtigkeit nicht beibringen konnte; vielmehr lag der Fehler beim Gesetz. Das Gesetz, behauptete er, machte nicht deutlich, wer sein Nächster war. Daraus schloss der Mann, dass er die Anforderungen des Gesetzes wohl erfüllen konnte, wenn er nur gewusst hätte, wer sein Nächster war. Diese Frage zeigt deutlich, dass der Mann durch das Gesetz verurteilt war, das er kannte. Dies führte zu seiner zweiten Frage (Lk 10,29), und der Herr versuchte auf seine geniale Art, sie gemeinsam mit der vorausgegangenen Frage (V. 5) durch das Gleichnis vom barmherzigen Samariter zu beantworten.

Jericho liegt ungefähr 19 Kilometer in nordöstlicher Richtung von Jerusalem entfernt in den Tiefen des Jordantals. Zwischen den beiden Städten lag die judäische Wüste, eine felsige Einöde, die von Banditen unsicher gemacht wurde. Normalerweise versuchte man, in Gruppen zu reisen, um vor den Räubern besser geschützt zu sein. Dieser einsame Mann war von Räubern überfallen worden, die ihn gnadenlos zusammengeschlagen und ihm alles geraubt hatten, was er besaß – sogar seine Kleider. In hilflosem Zustand hatten sie ihn am Straßenrand zurückgelassen.

Jesus stellte nun drei Menschen vor, die auf derselben Straße reisten. Die ersten beiden zählten zu den religiösen Führern Israels: ein Priester und ein Levit. Da Jericho ein Wohnort für Priester und Leviten war, waren diese beiden vielleicht auf dem Rückweg von ihrem Dienst im Tempel. Als die beiden den Mann sahen, müssen sie unverzüglich erkannt haben, was ihm fehlte. Durch die Stellung, die religiöse Führer im Volk innehatten, waren sie wahrscheinlich wohlhabend und wären in der Lage gewesen, ihm zu helfen. Doch beide weigerten sich zu reagieren, obwohl sie die Not sahen und fähig waren, Abhilfe zu schaffen. An dieser Stelle des Gleichnisses beantwortet Jesus die Frage: „Und wer ist mein Nächster?" Der Herr zeigt, dass unser Nächster jeder Mensch in Not ist, dessen Not wir wahrnehmen und ihr abhelfen können. Wenn wir uns weigern, der Not abzuhelfen, handeln wir nicht nach dem Gebot der Nächstenliebe. Jesus nennt hier mit dem Priester und dem Leviten zunächst zwei negative Beispiele. Dann jedoch zeigt er ein positives Beispiel. Der dritte Reisende war ein Samariter – einer, der von den Juden als Ausgestoßener betrachtet wurde (Joh 4,9). Als der Samariter den Verletzten sah, *„wurde er innerlich bewegt"* (Lk 10,33). Er hatte Mitleid. Unverzüglich half er entsprechend seinen Möglichkeiten der Not ab. Er hatte Öl zur Linderung und Wein zur Reinigung bei der Hand und goss sie auf die Wunden des Mannes und verband diese auch. Weil der Verletzte an Ort und Stelle keinesfalls angemessen versorgt werden konnte, setzte der Samariter ihn auf seinen Esel, beförderte ihn zu einer Herberge und übergab ihn der Obhut des Wirtes. Der Samariter bezahlte im Voraus für die Unterkunft des Mannes und versprach dem Wirt, dass er bei seiner Rückkehr für alle weiteren Kosten, die entstehen würden, aufkommen werde.

Jesus antwortete also auf die Frage: „Wer ist mein Nächster?", indem er darauf hinwies, dass jeder Mensch, dessen Not wir wahrnehmen und ihr abhelfen können, unser Nächster ist. Wir erfüllen die Gerechtigkeit des Gesetzes, das verlangt, dass wir unseren Nächsten wie uns selbst lieben, wenn wir der Not eines solchen Menschen im Rahmen unserer Möglichkeiten abhelfen.

So erklärte Jesus, was das Gesetz forderte, wenn es die Liebe zum Nächsten als Erweis wahrer Gerechtigkeit verlangte. Die Lektion war überaus deutlich: Als Jesus den, der ihn gefragt hatte, zurückfragte, wer von den Dreien das Gesetz erfüllte, antwortete dieser: *„Der die Barmherzigkeit an ihm übte"* (Lk 10,37). Der Gesetzeslehrer hatte keinen Vorwand mehr, sich auf Unwissenheit über die vom Gesetz geforderte Gerechtigkeit zu berufen. Jesus beendete seine Rede mit den Worten: *„Geh hin und handle du ebenso!"*

Viele haben jedoch Jesus missverstanden, als würde er lehren, dass jemand auf der Grundlage dessen, was er tut, in das Reich eingehen und Erlösung finden kann. Wenn jedoch die ursprüngliche Frage *„Was muss ich getan haben, um ewiges Leben zu erben?"* (V. 25) als eine Frage nach der Art der Gerechtigkeit verstanden wird, die er aufweisen muss, damit ihm Einlass in das Reich gewährt wird, dann ist die Antwort Jesu sehr klar. Wenn dieser Mann sich als gerecht erweisen wollte, musste er anderen gegenüber Gnade erweisen, wie ihm durch den Gott Gnade erwiesen wurde, dessen Vergebung er gesucht und erhalten hatte. Da Jesus von den religiösen Führern für einen Samariter gehalten wurde (Joh 8,48), mag er durch das Gleichnis dem Mann den Weg gezeigt haben, wie er die Gerechtigkeit erlangen konnte, von der er bekannte, dass sie zum Eingang ins Reich notwendig war. Gerechtigkeit kommt nicht aus Werken, sondern durch die Gnade des Zurückgewiesenen, der sah, was die Sünder brauchten, und dieser Not mit dem Opfer seiner selbst abhalf.

KAPITEL 14

Der beharrliche Freund

Lukas 11,1-10

Der Hintergrund

Die Pharisäer legten großen Wert auf das Gebet. Sie folgten dem Beispiel Daniels (vgl. Dan 6,11) und beteten drei Mal täglich: zur dritten Stunde, zur sechsten Stunde und zur neunten Stunde. Die Pharisäer verrichteten ihre Gebete in der Öffentlichkeit (Lk 18,10-11). Anstatt ihre Gebete als Bitten an Gott zu richten, suchten die Pharisäer mit ihrer Frömmigkeit die Menschen zu beeindrucken. Christus erachtete solch ein Gebet als heuchlerisch, denn er sagte: „*... sie lieben es, in den Synagogen und an den Ecken der Straßen stehend zu beten, damit sie von den Menschen gesehen werden. Wahrlich, ich sage euch, sie haben ihren Lohn weg*" (Mt 6,5). Das Beten der Pharisäer wurde von Christus als Geplapper angesehen und war als solches auf keinem höheren Niveau als das leere Dahersagen der Heiden. Wer dem Vorbild der Pharisäer folgte, hatte nie gelernt zu beten.

Der Predigt von Johannes dem Täufer hatten viele Juden geglaubt, die auf die Ankunft des Messias warteten. Da das Gebet eine wichtige Verbindung zwischen dem Gläubigen und Gott ist, hatte Johannes seine Jünger Beten gelehrt (Lk 5,33).

Das Problem

Viele der Johannesjünger hatten sich von diesem abgewandt, um Jesus nachzufolgen, und sie werden gewusst haben, wie man betet. Doch es gab offensichtlich viele, bei denen Johannes' Unterweisungen nicht angekommen waren, und diese bewegte nun die Frage, wie sie beten sollten. Daher kamen sie zu Jesus und baten: „*Herr, lehre uns beten*" (Lk 11,1).

Die Lösung

Jesus gab ihnen Antwort, indem er ein Muster für ein Gebet lieferte. Dies war kein Gebet, das rituell wiederholt werden sollte, sondern vielmehr eines, das die Themen betonte, auf die sich ein Glaubender beim Beten konzentrieren sollte. In erster Linie wird das Gebet an *„unser(en) Vater"* (Mt 6,9) gerichtet. Diese Anrede kennzeichnet eine Beziehung, die auf den Glauben gegründet wurde. Gebet befasst sich mit Anbetung, was mit den Worten *„geheiligt werde dein Name"* (Lk 11,2) angezeigt wird. Gebet beschäftigt sich auch mit Gottes Werk, denn Jesus fügte hinzu: *„dein Reich komme"* (V. 2). Zu Recht bittet der Beter Gott um die persönlichen Bedürfnisse, wie der Satz *„unser nötiges Brot gib uns täglich"* (V. 3) zeigt. Weiterhin befasst sich das Gebet mit Vergebung und Wiederherstellung; also fuhr Jesus fort: *„und vergib uns unsere Sünden"* (V. 4). Es wird erwartet, dass ein gerechter Gott Sünden vergeben wird, wenn wir ihn darum bitten, weil einer der Erweise der Gerechtigkeit darin besteht, dass anderen vergeben wird. Wenn Gerechtigkeit Vergebung erfordert, darf ein gerechter Gott sicherlich um Vergebung gebeten werden. Abschließend wird in dem Gebet Schutz vor dem Bösen gesucht; Jesus drückte es so aus: *„und führe uns nicht in Versuchung"* (V. 4). All das sind Dinge, die uns täglich Sorgen bereiten. Um seine Zuhörer vor dem Irrtum zu bewahren, dass wiederholtes Beten bis zur Stillung der Bedürfnisse in die Kategorie des *„Plapperns"* (Mt 6,7) fällt, erzählte Jesus das Gleichnis vom beharrlichen Freund. Darin betonte er eine bestimmte Art von Gebet: die Fürbitte.

Normalerweise reiste man damals wegen der Gefahren, die einem nach Einbruch der Dunkelheit drohten, nur während der Tagesstunden. Wenn bei Einbruch der Dunkelheit das Ziel noch nicht erreicht war, suchte der Reisende in einer Herberge Zuflucht, wo er die Nacht sicher verbringen und dann am nächsten Tag die Reise fortsetzen konnte. In dem Gleichnis hatte ein Reisender entgegen der üblichen Praxis die Reise zum Haus eines Freundes bis Mitternacht fortgesetzt. Er war nach solch einer langen Reise sicherlich erschöpft und hungrig, und die Gastfreundschaft machte es seinem Freund zur Pflicht, ihn mit Essen und Unterkunft zu versorgen. Der Gastgeber konnte ihm wohl Schutz bieten, doch es war nichts zu essen im Haus, das er dem Reisenden hätte anbieten können. Der Gastgeber erkannte jedoch, dass Verpflegung notwendig war, und fühlte sich dazu verpflichtet, die Bedürfnisse seines Gastes zu stillen. Da der Gastgeber einen Freund hatte, der dem Mangel an Essen abhelfen konnte, trotzte er den Gefahren der Dunkelheit und ging zum Haus dieses Freundes, um sich für seinen bedürftigen Gast zu verwenden. Als er jedoch an der Haustür seines Freundes anklopfte, stieß er auf Ablehnung.

In biblischen Zeiten waren Häuser sehr klein; oft hatten sie nur einen Raum, der bei Tag der Familie als Wohnraum diente, bei Nacht jedoch zum Familienschlafzimmer wurde. Damit man aufstehen, die Lampe anzünden und einen Gast ins Haus lassen konnte, war es nötig, dass die gesamte Familie sich erhob und dem Besucher Gastfreundschaft erwies. Dazu war der Freund nicht bereit. Der Fürbitter trat jedoch hartnäckig für sein Anliegen ein, weil er die Bedürfnisse seines Gastes erkannt hatte. Er hörte nicht auf zu bitten, bis der Freund seiner Bitte endlich nachkam. Es war nicht die Not, die den Freund bewegte, noch die Freundschaft mit dem Fürbitter, sondern vielmehr die Beharrlichkeit des Fürbitters, die eine Reaktion hervorrief. Jesus drückte dies ziemlich drastisch aus: *„Ich sage euch, wenn er auch nicht aufstehen und ihm geben wird, weil er sein Freund ist, so wird er wenigstens um seiner Unverschämtheit willen aufstehen und ihm geben, so viel er braucht"* (Lk 1,8).

Mit diesem Gleichnis lehrte Jesus Folgendes: Wenn jemand eine Not erkennt, bei der er selbst keine Abhilfe schaffen kann, muss er die Rolle eines Fürbitters einnehmen. Der Gläubige hat die Pflicht, so lange im Dienst der Fürbitte zu verharren, bis dafür gesorgt ist, das die Not behoben wird. Jesus zog nicht den Schluss daraus, dass Gott nicht hören will, denn wir wissen, dass *„seine Ohren"* auf die Gebete der Gerechten gerichtet sind (1Petr 3,12). Jesus lehrte hier durch Gegenüberstellung: Wenn selbst ein unwilliger Freund durch beharrliche Fürbitte bewegt werden kann, wie viel mehr wird ein barmherziger Gott durch die Beharrlichkeit eines Fürbitters bewegt werden!

Jesus hatte die Wahrheit des Gleichnisses in Lukas 11,9-10 angewandt, wo der griechische Text wörtlich übersetzt wie folgt lautet: *„Bittet beharrlich, und es wird euch gegeben werden; sucht beharrlich, und ihr werdet finden; klopft beharrlich an, und die Tür wird euch geöffnet werden. Denn jeder, der beharrlich bittet, empfängt; wer beharrlich sucht, findet; und dem, der beharrlich klopft, wird die Tür geöffnet werden."* Hartnäckige Fürbitte ist etwas anderes als das Geplapper der Heiden. Es ist der Ausdruck persönlichen Glaubens an die Treue Gottes, der zu seiner Zeit auf die Not dessen, für den wir zum Fürbitter geworden sind, antworten wird. Ein Fürbitter ist daher ein Vermittler zwischen dem, der in Not ist, und dem Einen, der dieser Not abhelfen kann; und seitens des Fürbitters ist Beharrlichkeit nötig, bis dieser Not abgeholfen wird.

KAPITEL 15

Der reiche Narr

Lukas 12,16-21

Der Hintergrund

In Lukas 12 sprach Jesus gegenüber der großen Menge, die sich versammelt hatte, eine Warnung aus. Er belehrte sie über die um sich greifende Haltung, welche die Pharisäer kennzeichnete. In den Versen 1-11 geht es um Heuchelei und in den Versen 13-34 um Habgier. Die Frage nach der Habgier stellte sich, weil ihn jemand aus der Menge zu einer Reaktion herausforderte, indem er verlangte: *„Lehrer, sage meinem Bruder, dass er das Erbe mit mir teilt!"* (V. 13). Jesus hatte sich dem Volk als Messias angeboten, und in Psalm 72,2 heißt es, dass es eine der Aufgaben des Messias war, nicht Partei zu ergreifen, sondern gerecht zu urteilen: *„dass er dein Volk richte in Gerechtigkeit und deine Elenden nach Recht"*. Der Herausforderer, der um den Anspruch Jesu wusste, verlangte, dass Jesus von seinem messianischen Recht zu richten Gebrauch machte. Auf den ersten Blick scheint Jesu Antwort ihm eine Absage zu erteilen, dieses Richteramt ausüben zu wollen, denn er sagte: *„Mensch, wer hat mich als Richter oder Erbteiler über euch eingesetzt?"* (Lk 12,14). Doch Jesus verneinte hier nicht die Tatsache, dass er als Messias sein Richteramt ausführen würde. Er sprach deshalb so zu der Menge, weil ihn das Volk als Messias abgelehnt hatte; er hatte kein Recht, ihnen seine Entscheidungen aufzuzwingen. Nur ihre freiwillige Unterordnung hätte es ihm ermöglicht, Gericht zu halten. Daher betrachtete Jesus die Herausforderung des Mannes als einen Erweis des Unglaubens und nicht des Glaubens an ihn.

Das Problem

Die Pharisäer legten großen Wert auf materielle Besitztümer. In 5. Mose 28 verhieß Gott bei Gehorsam materiellen Segen. Materielle Besitztümer wurden daher als Zeichen dafür angesehen, dass Gott Wohlgefallen an der Person hat, die sie besitzt. Das Streben nach materiellen Besitztümern wurde zum höchsten Lebensziel, denn wenn man viele Besitztümer hatte, war damit öffentlich der Beweis erbracht, von Gott angenommen zu sein. Die vorherrschende jüdische Haltung den Besitztümern gegenüber wurde in dem Ausspruch deutlich: *„Wen der Herr liebt, den macht er reich.“* Wenn man nach Gottes Segen zu trachten hatte, dann sollte man also eifrig nach Reichtum – dem Zeichen für diesen Segen – streben. Daher kam die folgende Frage auf: Was ist falsch am Streben nach materiellen Besitztümern? Warum soll Geiz oder Gier vermieden werden?

Die Lösung

Um auf dieses Problem zu antworten, erzählte Jesus das Gleichnis vom reichen Toren. Es ist zu beachten, dass der Landwirt bereits reich war (Lk 12,16). Er wurde nicht erst durch die neue Ernte reich. Stattdessen vermehrte die Ernte seinen Reichtum. Schon bevor die neue Ernte eingeholt wurde, besaß dieser Reiche bis zum Bersten gefüllte Scheunen. Er brauchte den zusätzlichen Reichtum nicht, um sich oder seinen Haushalt zu erhalten.

Als die neue Ernte bevorstand und der reiche Landwirt merkte, dass er keinen Platz hatte, die Erträge unterzubringen, lautete seine Lösung: *„Ich will meine Scheunen niederreißen und größere bauen und will dahin all mein Korn und meine Güter einsammeln“* (Lk 12,18). Diese Lösung für das Problem des angewachsenen Reichtums dieses Mannes zeigt, dass er keinerlei Fürsorge für seinen Nächsten trug. Es gab viele Arme. Dies war eine großartige Gelegenheit für ihn, seine Gerechtigkeit zu erweisen, indem er die zweite Forderung des Gesetzes erfüllte und seinen überschüssigen Reichtum unter denen verteilte, die in Not waren. Doch das scheint ihm nie in den Sinn gekommen zu sein. So demonstrierte der Mann, dass er nicht der Gerechtigkeit entsprach, die das Gesetz forderte.

Der Mann zeigte außerdem, dass er auch die erste Forderung des Gesetzes nicht erfüllte, die lautet: *„Du sollst den Herrn, deinen Gott, lieben aus deinem ganzen Herzen und mit deiner ganzen Seele und mit deiner ganzen Kraft und mit deinem ganzen Verstand"* (Lk 10,27). Stattdessen sagte er: *„Seele, du hast viele Güter liegen auf viele Jahre. Ruhe aus, iss, trink, sei fröhlich!"* (12,19). Damit zeigte er, dass seine erste Liebe ihm selbst galt und seinem eigenen Wohlergehen und Genuss. Daher kann er angesichts des ersten großen Gebots des Gesetzes nicht als gerecht angesehen werden. Er machte vielmehr deutlich, dass es sein vorrangiges Ziel im Leben war, sich selbst zufriedenzustellen und den Reichtum, den er gesammelt hatte, für seine eigenen, selbstsüchtigen Zwecke zu verwenden.

Wir ersehen daraus, dass in der Heiligen Schrift ein Mensch nicht als reich erachtet wird, nur weil er materielle Besitztümer hat. Die Reichen sind diejenigen, die sich auf Reichtum *verlassen*, ihn für selbstsüchtige Zwecke verwenden und daher Gott gegenüber undankbar sind, der die Rettung durch den Glauben und das Vertrauen auf Jesus Christus ermöglicht hat. Ein Reicher ist daher nicht durch die Menge seiner Besitztümer gekennzeichnet, sondern vielmehr durch seine Haltung gegenüber diesen Besitztümern. Weder der Besitz noch der Erwerb von Besitztümern wurde von Jesus verurteilt, sondern vielmehr die Haltung gegenüber Besitztümern, die den Reichen im Gleichnis kennzeichnete. Der Mann war geizig, weil er danach strebte, Güter für seine eigenen, selbstsüchtigen Zwecke zu erwerben, und er war gierig, weil er die Besitztümer, die er erworben hatte, missbräuchlich verwendete. Jesus fügte in seinem Gleichnis noch weitere Einzelheiten hinzu, um die Frage nach dem materiellen Besitz zu beantworten. Er machte deutlich, dass die Torheit von Habsucht und Gier zur selbstsüchtigen Anhäufung materieller Güter führt. Der reiche Mann meinte, selbst Herr über seine Besitztümer zu sein. Doch im Gleichnis zeigt sich, dass Gott der Herr über das Leben des Mannes war. Der Mann wurde von Gott ein Tor genannt (Lk 12,20). Nach der Bibel ist ein Tor ein Mensch, der Gott bei seinen Überlegungen vollkommen außer Acht lässt. Daher steht in Psalm 14,1: *„Der Tor spricht in seinem Herzen: ‚Es ist kein Gott!'"*. Dieser reiche Mann war ein Tor, weil er nicht erkannte, dass sein materieller Segen von Gott kam. Er erkannte auch nicht, dass er in Bezug auf den Gebrauch seiner Besitztümer Gott gegenüber verpflichtet war. Gott sprach das Urteil und zeigte dem Mann damit dessen Ohnmacht: *„In dieser Nacht wird man deine Seele von dir fordern"* (Lk 12,20a). Der Schöpfer ist Herr über das Geschöpf, und das Geschöpf ist dem Schöpfer gegenüber verantwortlich. Jesus betonte damit, dass jeder einzelne Gott gegenüber für den Gebrauch alles dessen verantwortlich ist, was er besitzt. Gott fragte den Mann: *„Was du aber bereitet hast, für wen wird es sein?"* (Lk 12,20b). Damit betonte Jesus, dass Besitztümer nur zeitlich sind, nicht ewig. An dem Ort, wohin er ging, hatte der Mann keinen Zugriff mehr auf seine materiellen Besitztümer. Materielle Dinge sind für dieses Leben bestimmt, nicht für das kommende. Also hatte der Mann sein ganzes Leben in etwas investiert, das zeitlich war, nicht in das, was ewig bleibt. Jesus wandte das Prinzip folgendermaßen an: *„So ist, der für sich Schätze sammelt und nicht reich ist im Blick auf Gott"* (Lk 12,21). Obwohl materielle Besitztümer nur als zeitlich begrenzt zu erachten sind, machte Jesus deutlich, dass sie dazu verwendet werden können, ewige Reichtümer zu erwerben. Der Mann hatte reichlich Gelegenheit gehabt, seine materiellen Besitztümer selbstlos einzusetzen und auf diese Weise zu demonstrieren, dass er gerecht war, und sich in der Folge ewigen Lohn zu sichern. Doch durch seine

Gier, seinen Geiz und seine Selbstsucht zeigte er, dass er ungerecht war und daher keinen ewigen Lohn erlangen würde.

Tore räumen Gott keinen Platz in ihrem Leben ein und haben niemanden, auf den sie sich verlassen können, außer sich selbst. Deshalb müssen sie für sich selbst vorsorgen, für heute und auch für morgen. Die Alternative dazu ist, weise zu sein und auf Gott zu vertrauen. Jesus wandte das Prinzip dieses Gleichnisses an, indem er zeigte, dass man sich nicht ausreichend selbst versorgen kann, indem man sich nur um sich selbst kümmert. Die Alternative ist, auf Gott zu vertrauen, der die Raben ernährt und die Lilien kleidet. Jesus gab das Versprechen: *„Wenn aber Gott das Gras, das heute auf dem Feld steht und morgen in den Ofen geworfen wird, so kleidet, wie viel mehr euch, Kleingläubige!"* (Lk 12,28). Gläubige sollen ihr Herz nicht auf die Anhäufung von Reichtum richten und ihr Vertrauen nicht auf Reichtum setzen; stattdessen sollen sie auf den himmlischen Vater vertrauen. Jesu Rat lautete: *„Und ihr, trachtet nicht danach, was ihr essen oder was ihr trinken sollt, und seid nicht in Unruhe! … Trachtet jedoch nach seinem Reich! Und dies wird euch hinzugefügt werden"* (V. 29.31). Wir müssen nicht nach Reichtum streben, um unseren Lebensunterhalt zu sichern, denn wir haben einen Vater, der versprochen hat, für uns zu sorgen. Wenn wir auf unseren himmlischen Vater vertrauen, sammeln wir *„einen unvergänglichen Schatz in den Himmeln, wo kein Dieb sich naht und keine Motte zerstört!"* (V. 33).

KAPITEL 16

Von treuen und untreuen Knechten

Lukas 12,35-40

Der Hintergrund

Weil Israel ihn als den Messias deutlich abgelehnt hatte und wegen der Verschiebung des Tausendjährigen Reiches bis zu seinem zweiten Kommen, unterwies Jesus seine Jünger, denen der Dienst nach seinem Tod anvertraut werden sollte. Jesus gab vieles von dieser Unterweisung in Gleichnissen an sie weiter.

Das Problem

Einige Fragen stellten sich den Zuhörern Jesu ganz von selbst, wenn sie erkannten, dass sie während seiner Abwesenheit als Knechte Gottes in Dienst genommen werden. Sie fragten sich zum Beispiel, was er von ihnen erwartete: Was sind die Kennzeichen eines treuen Knechts, und welchen Lohn darf ein treuer Knecht erwarten?

Die Lösung

In zwei kurzen Gleichnissen beschrieb der Herr, was einen treuen Knecht kennzeichnet. Wie so oft gebrauchte er das Bild eines Hochzeitsmahls. Die Dauer eines solchen Festessens war nicht festgelegt. Es konnte aus nur einem einzigen Mahl bestehen; doch wenn der Gastgeber ein reicher Mann war, konnte auch tagelang gefeiert werden. Wenn der Hausherr also ein Hochzeitsmahl besuchte, war er für unbestimmte Zeit abwesend. Aufgrund dieser Unbestimmtheit konnte ein Knecht während der Abwesenheit seines Herrn aus Faulheit seine üblichen Pflichten vernachlässigen.

Solch ein Knecht wäre untreu. Andererseits konnte ein Knecht seinen üblichen Pflichten auch fleißig nachkommen, ungeachtet der Abwesenheit seines Herrn und der Ungewissheit, wann dieser zurückkehrte. Zum Verantwortungsbereich eines Knechtes gehörte es, sich um den Einlass zu kümmern und das Tor für den Herrn bei seiner Rückkehr zu öffnen. Ein untreuer Knecht, der auf ein langes Ausbleiben zählte, wird sich nicht darum kümmern. Doch ein treuer Knecht wird sich von der Ungewissheit und dem Ausbleiben seines Herrn nicht davon abhalten lassen, fleißig bei der Arbeit zu sein, wenn der Herr zurückkehrte. Jesus lehrte also, dass ein treuer Knecht die ihm zugewiesene Aufgabe ausführt und sich davon nicht abbringen lässt, selbst wenn sein Herr abwesend ist und seine Rückkehr noch ausbleibt.

Nachdem er seine Jünger dazu ermahnt hatte, treu zu sein, erweiterte Jesus das Gleichnis vom Hochzeitsmahl. Er erklärte, dass der Lohn, der einem treuen Knecht zuteilwird, groß ist. Der Meister lässt seine treuen Knechte *„sich zu Tisch legen"*, und er wird kommen und ihnen dienen (Lk 12,37). Ein treuer Diener wird also selbst bedient werden, und seine Treue wird die Grundlage seines Lohns sein, wenn der Meister wiederkommt.

Also gibt es keinen legitimen Grund dafür, dass jemand seine Pflicht vernachlässigt, anstatt sie mit Fleiß zu erfüllen. Da es nicht üblich war, bei Nacht zu reisen, konnte ein Knecht bei Einbruch der Dunkelheit zu dem Schluss kommen, dass der Meister nicht vor dem nächsten Morgen zurückkehrte. Der Knecht konnte daraus wiederum den Schluss ziehen, dies sei ein legitimer Umstand, der ihn zur Vernachlässigung seiner Pflichten berechtigte. Doch Jesus betonte, dass der Knecht auch dann im Dienst bleiben musste, um darin als treu erfunden zu werden. Der Hausherr könnte auch *„in der zweiten Wache und … in der dritten Wache"* kommen (Lk 12,38). Die zweite Wache waren die drei Stunden vor Mitternacht, und die dritte Wache waren die drei Stunden nach Mitternacht.

Daran erkennen wir, dass der Herr keine Entschuldigung für Untreue zulässt, ganz gleich wie vernünftig die Entschuldigung auch zu sein scheint.

Der Herr fügte im Zusammenhang mit diesem Bild noch ein weiteres Gleichnis hinzu. Der Hausherr war nicht nur der Versorger des Haushalts, sondern auch sein Beschützer. Es oblag seiner Verantwortung, dafür zu sorgen, dass genügend Knechte für die Wache am Tor eingeteilt waren, das den einzigen Zugang bot, durch den ein Dieb ins Haus eindringen und es ausrauben konnte. Das Tor wurde normalerweise immer bewacht, doch eines ist gewiss: Wenn der Hausherr gewarnt gewesen wäre, zu welcher Zeit der Dieb kommt, hätte er die Tore mit zusätzlichen Wachen versehen, um seinen Haushalt zu schützen. Wenn man die Tore nicht ausreichend mit Wachen versieht, um die Hausbewohner zu schützen, vernachlässigt man die Verantwortung, die auf einem liegt.

In diesem kurzen Gleichnis betonte Jesus die Verantwortung, die auf den Knechten liegt. Ihrer Verantwortung obliegt es, darüber zu wachen, was ihrer Fürsorge anvertraut worden ist. Wenn sie nicht bewahren, was ihnen anvertraut wurde, sind sie untreue Knechte. Knechte müssen ihr Verwalteramt wahrnehmen. So bereitete Jesus seine Jünger auf die Angriffe vor, die Satan gegen sie und gegen ihren Dienst unternehmen würde.

Diese Gleichnisse wurden entworfen, um die Jünger über Treue in ihrem Dienst, der ihnen anvertraut wurde, zu unterweisen – insbesondere angesichts der Tatsache, dass sie zu der Zeit der Wiederkehr ihres Herrn einen Rechenschaftsbericht über ihr Verwalteramt werden ablegen müssen. Da uns die Wiederkunft Jesu verheißen, jedoch die Zeit seines Kommens unbestimmt ist, verlangt er von seinen Jüngern, dass sie fortwährend treu sind, damit sie bei seinem Kommen nicht als untreu vorgefunden werden.

KAPITEL 17

Der unfruchtbare Feigenbaum

Lukas 13,6-9

Der Hintergrund

Ein paar Leute kamen mit einem Problem zu Jesus, das sowohl politischer als auch religiöser Natur war. Sie bezogen sich auf eine Gräueltat von Pilatus, bei der einige Galiläer ermordet wurden. Das warf bei den Leuten eine religiöse Frage auf, denn nach der pharisäischen Theologie wurde jede Tragödie als Strafe Gottes für eine Sünde angesehen. Sie wollten nun wissen, welche Sünde aus Gottes Sicht so abscheulich gewesen sein konnte, dass sie solch eine Vergeltung hervorrief. Die Absicht dieser Frage mag gewesen sein, Jesus in Misskredit zu bringen, der bekundet hatte, dass er gekommen war, um ihnen Gott zu offenbaren. Dem natürlichen Empfinden nach dürfte keine Sünde solch eine Gräueltat verdienen; und wenn dieser Mord von Gott kam, dann verdiente solch ein Gott weder Gehorsam noch Anbetung.

Ihre zweite Frage war politischer Natur, und es ist möglich, dass diese Frage ein sorgfältig geplanter Versuch war, Jesus als Lehrer in Misskredit zu bringen. Wenn er diese Gräueltat Pilatus zuschrieb und allein diesen dafür verantwortlich machte, um das Wesen Gottes zu verteidigen, dann hätte es den Anschein gehabt, dass er sich des Hochverrats schuldig machte.

Durch seine Antwort versuchte Jesus, die falsche Lehre der Pharisäer zu korrigieren, die alle Naturkatastrophen göttlichem Gericht zuschrieb. Wenn das wahr wäre, dann hätte Pilatus alle Galiläer töten müssen, denn alle waren Sünder. Zur Unterstützung seiner Beweisführung stellte Christus einen historischen Bezug zu achtzehn Personen her, die ihr Leben verloren, als der Turm von Siloah über ihnen einstürzte, während sie mit dessen Bau beschäftigt waren. Die Pharisäer hätten ihren Tod auf ein göttliches Gericht zurückgeführt. Jesus sagte ihnen, wenn dies wahr wäre, müssten alle Bewohner Jerusalems umkommen, denn in den Augen Gottes waren sie alle Sünder.

Jesus zog daraus den Schluss, dass diejenigen, die diese Frage aufgeworfen hatten, der Buße bedurften. Zweifellos befolgten die Fragesteller die Lehren der Pharisäer und hielten sich demzufolge für gerecht. Die Tatsache, dass sie keinem Gericht unterworfen wurden, war für sie die Bestätigung ihrer Gerechtigkeit, doch Christus sprach das Urteil über sie und lud sie gleichzeitig ein, Buße zu tun, um dem kommenden Gericht zu entgehen.

Das Problem

Mit der Ankündigung, dass das Gericht über diejenigen kommen wird, die sich selbst für gerecht halten, wenn sie nicht Buße tun, kam die Frage auf, warum dieses Gericht kommen würde. Christus beantwortete die Frage mit dem Gleichnis vom unfruchtbaren Feigenbaum.

Die Lösung

Der Besitzer eines Weinbergs hatte einen Feigenbaum gepflanzt. Dieser Baum wurde nicht zur Zierde oder als Feuerholz gepflanzt, sondern sollte Frucht bringen. Zwar erwartete der Besitzer im ersten Jahr keine Frucht, doch im zweiten und dritten Jahr konnte der Besitzer normalerweise mit einer Fülle von Früchten rechnen.

Das Bild vom Feigenbaum vermittelt in diesem Gleichnis dieselbe Wahrheit, die Jesaja mit dem Weinstock in Jesaja 5,1-7 lehrte, indem er erklärte: „*Denn der Weinberg des HERRN der Heerscharen ist das Haus Israel, und die Männer von Juda sind die Pflanzung seiner Lust. Und er wartete auf Rechtsspruch, und siehe da: Rechtsbruch; auf Gerechtigkeit, und siehe da: Geschrei über Schlechtigkeit"* (V. 7). Gott wollte Gerechtigkeit und Recht bei seinem Volk sehen, das er als Werkzeug zur Offenbarung seiner Herrlichkeit erwählt hatte.

Als genügend Zeit verstrichen war, die solch ein Baum zur Ausbildung von Früchten benötigte, ging der Besitzer zu demjenigen, der sich um den Weinberg zu kümmern hatte. Der Besitzer erwartete, dass der Baum Früchte brachte, doch es waren keine Früchte geerntet worden.

In diesem Gleichnis ist der Mann, der sich um den Weinberg kümmert, ein Bild für Gott selbst. Gott war einen Bund mit dem Volk Israel eingegangen und hatte die Pflege der Nation dem übertragen, der als Israels Messias gekommen war. Wie sein Vorbote hatte der Messias das Volk zur Buße gerufen und es ermahnt, Früchte der Gerechtigkeit hervorzubringen. Doch die Nation hatte nicht darauf reagiert. In dem Gleichnis fällte der Weinbergbesitzer das Urteil über den ertraglosen Baum. Er sagte: *„Hau ihn ab! Wozu macht er auch das Land unbrauchbar?"* (Lk 13,7). Der Feigenbaum zeigte durch eine lange Zeit der Ertraglosigkeit, dass er dauerhaft unfruchtbar und infolgedessen wertlos war; außerdem nahm er Platz in Anspruch, auf dem ein fruchtbarer Baum hätte gepflanzt werden können.

Also wurde das Urteil über ihn gefällt.

Das Gleichnis bedeutet nicht, dass die Nation Israel als Bundesvolk durch ein göttliches Gericht ausgelöscht wird; vielmehr bedeutet das Gleichnis, dass Gott Gericht über eine Generation ankündigte, die sich als fruchtlos erwiesen hatte.

An dieser Stelle trat jedoch derjenige für den Baum ein, dessen Fürsorge er anvertraut worden war, und bat: *„Herr, lass ihn noch dieses Jahr, bis ich um ihn graben und Dünger legen werde! Und wenn er künftig Frucht bringen wird, gut, wenn aber nicht, so magst* *du ihn abhauen*" (Lk 13,8-9). Das Gericht hätte gut auf die damalige Generation fallen und Jesus hätte sein Vorhaben mit dem kleinen Rest fortsetzen können, der an ihn geglaubt hatte. Von ihnen hätte der Herr die Früchte der Gerechtigkeit ernten können, die dem gefielen, der ihn zum Wächter der Nation gemacht hatte. Doch er legte beim Richter Fürsprache ein und bat darum, dass das Gericht für kurze Zeit verschoben würde. So war es ihm möglich, den Pflegedienst am Baum fortzusetzen, damit dieser nach Möglichkeit doch noch ein fruchttragender Baum wird. Der Messias wollte nicht, dass die Fruchtlosigkeit auf seine Nachlässigkeit zurückgeführt wurde, deshalb bat er um die Möglichkeit, dem fruchtlosen Baum noch weitere Aufmerksamkeit zukommen zu lassen. Die Tatsache, dass zu dieser Zeit das Gericht noch nicht über die Nation Israel kam, sondern noch bis ins Jahr 70 n. Chr. verschoben wurde, als Titus Jerusalem einnahm, legt nahe, dass die Zeit bis zu diesem Gericht Israel noch die Möglichkeit bot, sich als fruchttragender Baum zu erweisen. Die Tatsache, dass das Gericht dann eintrat, zeigt, dass vom Volk Israel die erwartete Frucht der Gerechtigkeit nicht erbracht worden war.

KAPITEL 18

Plätze bei einem Hochzeitsmahl

Lukas 14,7-11

Der Hintergrund

In der Kultur zur Zeit Jesu wurde großen Wert auf Gastfreundschaft gelegt. Ein Gastgeber lud Gäste zum Essen, um von den Gästen geehrt zu werden, und die Gäste nahmen eine Einladung zum gemeinsamen Essen gerne als Gelegenheit an, ihr Ansehen zu vergrößern. Der Beweggrund dafür, vermehrt Gastfreundschaft zu gewähren, lag nicht darin, die Gesetzesgerechtigkeit zu erfüllen, sondern vielmehr an Ansehen zu gewinnen, entweder für den Gastgeber oder für den Gast. Solche Festessen boten eine Möglichkeit zur verschwenderischen Zurschaustellung des eigenen Reichtums, und die Gäste erfreuten sich an dem Aufwand, der für sie getrieben wurde.

Das Problem

Da die Gastfreundschaft – eigentlich eine Darstellung selbstloser Fürsorge – derart von dem entfremdet war, was Gott damit bezwecken wollte, stellte sich folgende Frage: Mit welcher Einstellung sollte man auf eine Einladung hin an einem Hochzeitsmahl teilnehmen?

Die Lösung

Der Grund, warum Christus dieses Gleichnis bei dieser Gelegenheit erzählte, war, dass *„er bemerkte, wie sie [die Eingeladenen] die ersten Plätze wählten“* (Lk 14,7). Es bedeutete schon eine Ehre, zu einem Hochzeitsfest eingeladen zu sein; doch die Eingeladenen suchten noch größere Anerkennung für sich, indem sie die Ehrenplätze beim Festmahl beanspruchten. Diese Plätze waren rechts oder links vom Gastgeber, und der Gastgeber hatte das Recht, diese Ehrenplätze zuzuweisen. Die Gäste, auf die Jesus hier anspielte, hatten nicht abgewartet, bis der Gastgeber ihnen ihre Plätze zuwies; stattdessen hatten sie sich selbst Plätze der höheren Rangordnung ausgewählt. Sie beurteilten sich nach ihrer Selbsteinschätzung, und sie hielten sich allen anderen gegenüber für überlegen.

Um dieses unrechte Verhalten zu korrigieren, unterwies Jesus die Gäste, dass sie sich die Ehrenplätze zur Rechten oder zur Linken des Gastgebers nicht selbst zuweisen durften. Denn der Gastgeber musste nicht notwendigerweise mit ihnen darin übereinstimmen, sie für die Ehrbarsten unter seinen Gästen zu halten. Der Gastgeber konnte von seinem Recht Gebrauch machen und diese Leute wieder von den Plätzen entfernen, die sie für sich eingenommen hatten. Er konnte sie öffentlich demütigen, indem er ihnen Plätze ganz am Ende der Tafel zuwies, wo gewöhnlich die unbedeutenderen Personen Platz nahmen. Für die Gäste, die die Ehrenplätze wollten, war es in der Tat demütigend zu erfahren, dass der Gastgeber sie nicht so beurteilte, wie sie sich beurteilt hatten. Anstatt sie zu demütigen, belehrte sie Jesus. Er empfahl ihnen, davon auszugehen, dass alle anderen ihnen überlegen und größerer Ehre wert wären. Anstatt die Ehrenplätze einzunehmen, sollten sie mit den niedrigsten Plätzen vorlieb nehmen. Der Gastgeber war der Letzte, der beim Festmahl eintraf. Wenn er erschien und sich einen Überblick über die Gäste verschaffte, stand ihm das Recht zu, diejenigen zu ehren, die den niedrigsten Platz gewählt hatten, und sie einzuladen, *„höher hinauf"* zu rücken (Lk 14,10). Eine solche Maßnahme würde sein Ansehen in den Augen aller anderen Gäste vergrößern. Wahre Ehre ist nicht die Ehre, die jemand für sich selbst beansprucht, sondern vielmehr die Ehre, die einem von anderen verliehen wird. Die Anwendung, die Jesus daraus zog, war überaus deutlich: *„Denn jeder, der sich selbst erhöht, wird erniedrigt werden, und wer sich selbst erniedrigt, wird erhöht werden“* (V. 11).

Jesus korrigierte nicht nur die falsche Haltung der Gäste, die zum Festmahl kamen, sondern er korrigierte auch die falsche Haltung des Gastgebers. Er ermahnte den Gastgeber, dass er Gastfreundschaft nicht als Mittel missbrauchen solle, um sich selbst Ehre zu verschaffen, indem er sich Freunde, Verwandte oder reiche Nachbarn einlud. Stattdessen sollte er die Armen, Krüppel und Blinden einladen. Freunde, Verwandte und reiche Nachbarn konnten dem Gastgeber vergelten, indem sie die Einladung erwiderten und ein noch üppigeres Mahl anboten als das, das der Gastgeber bereitet hatte. Die Armen, Krüppel, Lahmen und Blinden jedoch waren nicht in der Lage, sich dem Gastgeber entsprechend erkenntlich zu zeigen. Die Fähigkeit, ein Festmahl auszurichten, und die Gelegenheit zu großzügiger Gastfreundschaft sollten nicht zur Selbstverherrlichung missbraucht werden. Es bedeutete vielmehr die Möglichkeit, sich im Sinne des Gesetzes als gerecht zu erweisen, indem derjenige, der das Festmahl ausrichtete, die Nöte anderer erkannte und die Bedürftigen zum Festmahl einlud. Dies bedeutete für den Gastgeber zwar kein Zugewinn an Ansehen durch seine Gäste, aber die Gerechtigkeit des Gastgebers wird von Gott erkannt werden, und dem Gastgeber wird *„vergolten werden bei der Auferstehung der Gerechten“* (Lk 14,14). Jesus verdeutlichte also, dass es besser ist, Ehre bei Gott zu suchen als von Menschen.

KAPITEL 19

Das große Festmahl

Lukas 14,16-24

Der Hintergrund

Das Bild eines Festmahls oder eines Hochzeitsfests wurde von unserem Herrn immer wieder verwendet, um Israels Tausendjähriges Reich darzustellen. In diesem Reich wird der König alle Untertanen seines Reiches reichlich versorgen. Es wird keine Knappheit, Armut, keinen Hunger oder Mangel geben. Diese Freigebigkeit wurde vom Propheten Amos illustriert, der ankündigte: *„Siehe, Tage kommen, spricht der HERR, da rückt der Pflüger nahe an den Schnitter heran und der Traubentreter an den Sämann, und die Berge triefen von Most, und alle Hügel zerfließen. Da wende ich das Geschick meines Volkes Israel. Sie werden die verödeten Städte aufbauen und bewohnen und Weinberge pflanzen und deren Wein trinken und Gärten anlegen und deren Frucht essen"* (9,13-14). Als Jesus seinen Zuhörern im vorherigen Gleichnis das Bild eines Hochzeitsfestes vorstellte, hatte er damit bei ihnen die Vorstellung der Prophetie von Israels Tausendjährigem Reich ins Gedächtnis gerufen. Einer der Anwesenden, der an der Festtafel mit Jesus zu Tisch lag und gerade noch von Jesus zurechtgewiesen worden war, platzte heraus: *„Glückselig, wer essen wird im Reich Gottes"* (Lk 14,15).

Das Problem

Da niemand, der ein Festmahl vorbereitete, einfach jeden dazu einlud, stellte sich die Frage, wer an dem Festmahl im Tausendjährigen Reich teilnimmt, das der Messias veranstalten wird.

Die Lösung

Jesus verwendete noch einmal das Bild vom großen Hochzeitsmahl und erzählte von einem Mann, der solch ein Festmahl vorbereitet hatte. Die Verlobung fand nach dem damaligen Brauch ungefähr zwölf Monate vor der eigentlichen Hochzeit und dem dann anstehenden Festmahl statt. Also war nun ein Jahr vergangen, seit die Einladung des Bräutigams an seine Freunde ergangen war. Diese hatte die Verlobung bekannt gegeben und die Eingeladenen darüber informiert, dass man ihre Anwesenheit bei dem auf die Trauung folgenden Hochzeitsmahl erwartete. Es ist offensichtlich, dass die Gäste reichlich Gelegenheit hatten, Vorkehrungen zu treffen, um an dem Hochzeitsmahl teilnehmen zu können. Es war Brauch, dass sich der Bräutigam nach dem Ablauf der Verlobungszeit zum Haus der Braut begab, um bei ihrem Vater seinen Anspruch auf sie zu erheben. Er brachte sie von dort in sein Haus, um mit ihr die Hochzeit und das anschließende Hochzeitsmahl zu begehen. Zu diesem Zeitpunkt wurde eine zweite Einladung an die Gäste geschickt, die zuvor schon eingeladen worden waren. Diese zweite Einladung kündigte an, dass die Zeit für das Hochzeitsmahl gekommen war, dass alles bereit war und dass nun von ihnen erwartet wurde, beim Hochzeitsmahl zu erscheinen. Dieser Brauch erklärt, warum Jesus in dem Gleichnis sagte: *„Und er sandte seinen Knecht zur Stunde des Gastmahls, um den Eingeladenen zu sagen: Kommt! Denn schon ist alles bereit“* (Lk 14,17). Die Betonung scheint auf der Zeit zwischen der ersten und der zweiten Einladung zu liegen. Diese Gäste hatten reichlich Zeit, sich für die Teilnahme an dem Festmahl vorzubereiten. Als Jesus in dem Gleichnis auf die vielen Gäste Bezug nahm, die zum Festmahl eingeladen worden waren, sprach er symbolisch von dem Volk Israel. Das ganze Alte Testament hindurch erging durch die Propheten die Verheißung, dass der Messias kommen würde, um das davidische Königreich zu errichten. Johannes der

Täufer und Jesus, der Messias, boten dem Volk Israel dieses Reich an (Mt 3,2; 4,17). Während Jesus seinen Dienst ausübte, hatte die Nation reichlich Gelegenheit, sich darauf vorzubereiten, positiv auf die Einladung zu reagieren und in das Reich einzugehen, das er ihnen anbot.

Doch in dem Gleichnis versäumten es die Gäste, die eingeladen worden waren, die Einladung wahrzunehmen. Sie *„fingen alle ohne Ausnahme an, sich zu entschuldigen"* (Lk 14,18). Tatsächlich bereiteten sich zur Zeit Jesu viele Israeliten nicht auf das Reich vor, das er ihnen anbot. Das Volk als Ganzes lehnte das Angebot ab, Jesus als Messias anzunehmen und in sein Reich einzugehen, obwohl er gekommen war, um es aufzurichten und die Verheißungen und den angekündigten neuen Bund zu erfüllen. Im Gleichnis begegnen uns verschiedene Ausreden. Manche hielten ihre Besitztümer für wertvoller und von größerer Bedeutung als das Reich, das Christus anbot. Ihre Ausrede lautete: *„Ich habe einen Acker gekauft und muss unbedingt hinausgehen und ihn besehen; ich bitte dich, halte mich für entschuldigt"* (V. 18). Sie waren mit ihren materiellen Besitztümern beschäftigt und schenkten der Einladung, Christus zu folgen und in sein Reich einzugehen, keine Beachtung. Einer versuchte, sich zu entschuldigen, weil er fünf Joch Ochsen gekauft hatte und sich gerade auf den Weg machen wollte, sie auszuprobieren. Da mit einem Joch Ochsen nur eine Person arbeiten konnte, gab es für den Besitzer eine Menge zu organisieren. Er war zu beschäftigt mit seinen geschäftlichen Angelegenheiten, um sich Zeit für die Teilnahme an einer Hochzeit zu nehmen.

Ein Dritter hatte den Eindruck, dass frisch vermählt zu sein ein vertretbarer Grund für sein Nichterscheinen sei; er hatte erst vor Kurzem geheiratet, und im Gesetz war zu lesen, dass ein Mann sich ein Jahr Zeit nehmen konnte, sich an seiner Frau zu erfreuen und sich an die Ehe zu gewöhnen. Sein persönliches Vergnügen hinderte ihn daran, in das Reich einzugehen.

Als er von seinen eingeladenen Gästen mit solch armseligen Antworten abgespeist wurde, befahl der Gastgeber seinem Knecht: *„Geh schnell hinaus auf die Straßen und Gassen der Stadt und bringe die Armen und Krüppel und Blinden und Lahmen hier herein“* (Lk 14,21). Diese wurden damals als unrein betrachtet und wären niemals zu einem Festmahl eingeladen worden. Doch Jesus lehrte durch dieses Gleichnis, dass für den Messias die Unannehmbaren annehmbar sind, wenn sie auf seine auf sie ausgeweitete Einladung antworteten. Jesus erklärte durch dieses Gleichnis, dass viele, die zu dieser Gruppe zählten, auf die Einladung reagierten, die an sie erging (V. 22). Trotz dieser positiven Reaktionen gab es noch immer eine weitverbreitete Ablehnung der Einladung durch das Volk als Ganzes, und daher gab es noch immer freie Plätze auf dem Fest. Also gab der Herr seinem Knecht erneut einen Befehl: *„Geh hinaus auf die Wege und an die Zäune und nötige sie hereinzukommen, dass mein Haus voll werde“* (V. 23). Die auf den Wegen und an den Zäunen sind die Heiden, die zu diesem Zeitpunkt noch keine auf sie erweiterte Einladung erhalten hatten, in das Reich einzugehen. Gemäß der Schrift musste zunächst das Reich mit Israel aufgerichtet werden, bevor Heiden Zugang zu den Segnungen bekamen (Mt 10,5-6). Doch jetzt, da Israel das Angebot des Reiches zurückgewiesen hatte, würde die Einladung auf Heiden ausgedehnt werden.

Die ernsten Konsequenzen, die Israels Ablehnung des Angebots nach sich ziehen würde, machen die Worte deutlich, *„dass nicht einer jener Männer, die eingeladen waren, an meinem Gastmahl teilnehmen wird“* (Lk 14,24). Zweifellos gedachten diejenigen, die es ablehnten, die Antwort nur aufzuschieben und rechneten damit, dass ihnen noch reichlich Zeit blieb, um den Segen des Festmahls zu genießen. Doch das Gleichnis lehrt, dass Israel das Angebot in dem Augenblick entzogen wurde, als es die Einladung ablehnte.

So beantwortete unser Herr also die Frage, wer an dem bevorstehenden Hochzeitsmahl teilnehmen wird. Die Einladung selbst war keine Garantie für die Teilnahme am Hochzeitsfest, denn der Einlass hing von der Antwort ab. Wegen der fehlenden positiven Antwort wurden nun diejenigen eingeladen, an die ursprünglich keine Einladung ergangen war. Auf diese Weise wurden also die Plätze bei dem Hochzeitsfest belegt.

KAPITEL 20

Vom Turmbau und vom König, der einen Krieg führen will

Lukas 14,25-33

Der Hintergrund

Die Werke des Sohnes Gottes waren so überzeugend und seine Worte so gewinnend, dass ihm ganze Scharen zuströmten. Diese werden sich ohne Weiteres als seine Jünger bezeichnet haben. Um die Anforderungen, die an Jünger gestellt wurden, zu betonen, lehrte Jesus die aufmerksame Menge, was er von denen erwartete, die ihm in Wahrheit nachfolgen wollten. Als Erstes forderte er: *„Wenn jemand zu mir kommt und hasst nicht seinen Vater und die Mutter und die Frau und die Kinder und die Brüder und die Schwestern, dazu aber auch sein eigenes Leben, so kann er nicht mein Jünger sein"* (Lk 14,26). Dazu müssen wir die jüdischen Redewendungen von Liebe und Hass verstehen. Für uns sind es in erster Linie Gefühlsäußerungen, in der Heiligen Schrift sind es Ausdrücke für Willensentscheidungen. Lieben heißt erwählen oder sich unterwerfen, und hassen heißt ablehnen oder sich verweigern. Deutlich illustriert wird dieses Idiom in Maleachi 1,2-3, im gleichen Sinne auch in Römer 9,13 zitiert. Der Prophet erklärte Gottes Liebe zu Israel, doch Israel antwortete mit der Frage, woran sich Gottes Liebe ihnen gegenüber zeige. Die Antwort lautete: *„... ich habe Jakob geliebt; Esau aber habe ich gehasst"* (Mal 1,2-3). Gottes Liebe zu Jakob zeigte sich darin, dass er ihn als Erben der Abrahamsverheißung erwählte, und seinen Hass gegenüber Esau zeigte Gott darin, dass er ihn von der Verheißungslinie ausschloss.

Also waren Lieben und Hassen Äußerungen der Erwählung Gottes. Wenn Jesus verlangte, dass man diejenigen hassen sollte, mit denen man durch die engsten Blutsbande verbunden war, sprach er nicht von unseren Gefühlen, sondern von unserem Willen. Ein Jünger muss sich entscheiden und sich zuerst der Autorität Christi unterwerfen, nicht der Autorität des Familienoberhaupts.

Jesu nächste Forderung lautete: „*und wer nicht sein Kreuz trägt und mir nachkommt, kann nicht mein Jünger sein*" (Lk 14,27). Jesus verlangte nicht, dass seine Jünger physisch am Kreuz sterben sollten, so wie er sterben würde. Das Kreuz im Leben Christi war die Prüfung seines Gehorsams gegenüber dem Willen Gottes. Das Kreuz war für Christus, was der Baum der Erkenntnis von Gut und Böse im Garten Eden für Adam war. Jesus verdeutlichte damit, dass seine Jünger sich nicht nur entscheiden mussten, ihm zu folgen und sich seiner Führung zu verpflichten, sie mussten sich auch seinem Willen unterwerfen. Das Beharren auf dem eigenen Willen und dem Verfügungsrecht über das eigene Leben schließen aus, dass man ein Jünger Christi ist.

Das Problem

In Anbetracht der Ablehnung Jesu durch die religiösen Führer war zu erwarten, dass es für jeden gefährlich werden würde, der sich Jesus verpflichtete und sich seinem Willen unterordnete. Die Führer lehnten nicht nur Jesus ab, sondern ebenso diejenigen, die ihm nachfolgten. Sie zogen den Zorn der Führer ebenso auf sich, wie es bei Jesus der Fall war. Daher stellte sich die Frage: Mit welcher Einstellung sollten die Zuhörer Jesu die Frage der Nachfolge angehen?

Die Lösung

Durch Gleichnisse unterwies Christus diejenigen, die seine Worte beherzigten und somit zeigten, dass sie seine Jünger waren.

Er bestand darauf, dass sie die Konsequenzen einer solchen Verpflichtung ernsthaft erwägen sollten. Zunächst erzählte er ein Gleichnis von einem Mann, der dabei war, einen Turm zu bauen. Der bloße Wunsch zu bauen war keine ausreichende Grundlage dafür, das Projekt zu beginnen. Der Bauherr musste die damit verbundenen Kosten ermitteln und prüfen, ob ausreichende Mittel bereitstanden, um das Werk auch zu vollenden. Wenn die Arbeiten am Turm wegen ungenügender Voraussicht und Vorbereitung unterbrochen werden müssten, wäre das unvollendete Gebäude eine Schande für den Bauherrn; und alle, die von der schlechten Planung Kenntnis nahmen, würden sich darüber lächerlich machen. Durch dieses Gleichnis lehrte Christus diejenigen, die sich ihm als Jünger anboten, die Konsequenzen einer solchen Entscheidung ernsthaft zu erwägen. Sie sollten prüfen, ob sie bereit wären, all das zu ertragen, was mit einer totalen Verpflichtung ihm gegenüber, die wahre Nachfolge beinhaltet, verbunden war.

Diese Kostenüberschlagung war so wichtig, dass Jesus ein zweites Gleichnis hinzufügte. Darin erzählte er von einem König, der im Begriff stand, gegen einen Feind in den Krieg zu ziehen. Der bloße Wunsch, den Kontrahenten zu besiegen, war keine ausreichende Grundlage für die Durchführung seines Vorhabens. Ein weiser König zählte seine Truppen und schätzte die Größe des feindlichen Heeres ein. Wenn er weniger Soldaten als sein Feind hatte, musste er prüfen, ob seine Soldaten angemessen vorbereitet waren, um es mit einer zahlenmäßig überlegenen Heeresmacht aufzunehmen. Wenn die sorgfältige Vorbereitung seiner Truppen und seine Einschätzung des Feindes den König überzeugten, dass er imstande war, einen Sieg zu erringen, dann konnte er in den Kampf ziehen. Wenn er jedoch zu dem Urteil kam, dass der Feind seinen eigenen Truppen überlegen war, war es weiser, Friedensverhandlungen in Gang zu setzen.

In diesem zweiten Gleichnis legte Jesus erneut Nachdruck darauf, dass diejenigen, die seine Jünger sein wollten, ihre Verantwortung wahrnehmen sollten, sorgfältig die Stärke des Feindes und ihre eigenen Mittel zu bemessen. Wenn sie nicht fähig waren, den Angriffen dessen zu widerstehen, der das Reich zu zerstören sucht, dann sollten sie den Kampf gar nicht erst beginnen. Es reicht nicht aus, einfach nur ein Jünger sein zu wollen; auch ist die Attraktivität des Jüngerseins keine ausreichende Grundlage für die Nachfolge. Man kann kein wahrer Jünger sein, wenn man nicht zuvor weiß, worum es geht: sich nämlich vollständig an Christus hinzugeben und sich seinem Willen unterzuordnen. Dann muss man auch die Kraft des Feindes berücksichtigen, bevor man eine solche Verpflichtung eingeht. Jesus suchte nach Jüngern, die willens waren, zu *seinen* Bedingungen zu ihm zu kommen, nicht zu ihren.

KAPITEL 21

Der suchende Hirte, die suchende Frau und der suchende Vater

Lukas 15,1-32

Der Hintergrund

Jesus hatte im vorausgehenden Gleichnis angezeigt, dass er die Ausgestoßenen willkommen heißt – die Armen, die Krüppel, die Blinden und die Lahmen (Lk 14,21). Die selbstgerechten Pharisäer nahmen schnell Kenntnis von denen, die Jesus annahm und willkommen hieß; sie beobachteten die Art von Menschen, an deren Gemeinschaft er sich erfreute und mit denen er seine Mahlzeiten einnahm. Die Pharisäer hätten die Ausgestoßenen der Gesellschaft niemals willkommen geheißen, noch hätten sie erwogen, ihnen Gastfreundschaft an ihren Tischen zuteilwerden zu lassen. Solche Menschen zählten für sie zu der Gruppe, die sie Zöllner und Sünder nannten. *Zöllner* wurden verachtet, weil sie sich an Rom verkauft hatten. Unter dem herrschenden System bereicherten sie sich auf Kosten ihrer Volksgenossen, indem sie Steuern erhoben, um Rom zu unterstützen. *Sünder* war ein weitgefasster Begriff, der alle Ausgestoßenen der Gesellschaft umfasste. Jesus tolerierte nicht nur die Gegenwart solcher Menschen in seinem Gefolge, sondern ging noch einen Schritt weiter und hieß sie tatsächlich willkommen; er erfreute sich an der Gemeinschaft mit ihnen. Für die Pharisäer bedeutete das, dass Jesus keinesfalls der Gesalbte Gottes sein konnte, denn seine Haltung zu Sündern stand im Gegensatz dazu, wie sie über Gottes Haltung zu Sündern dachten. Ihrer Ansicht nach liebte Gott die Gerechten, hasste aber die Sünder. Sie gingen so weit zu sagen, dass Gott sich über den Tod von Sündern freut, da dieser einen solchen aus seiner Gegenwart entfernt. Sie hatten keine Vorstellung von einem Gott, der Sünder liebte und Gemeinschaft mit ihnen suchte, um sich daran zu erfreuen. Das Verhalten Jesu richtete sich daher ganz und gar gegen das pharisäische Konzept von Gott. Das war für sie der Grund, warum sie glaubten, den Anspruch Jesu auf göttliche Identität ablehnen zu können.

Das Problem

Der Widerspruch zwischen dem Verhalten Jesu und dem pharisäischen Konzept von Gott brachte die Frage auf, welche Haltung Gott zu Sündern einnahm. Diese Frage war so wichtig, dass Jesus sehr ins Detail ging, um darauf Antwort zu geben.

Die Lösung

Zwar umfasste die Antwort drei Gleichnisse, doch sie war gleichzeitig auch ein einziges Gleichnis; daher leitete Lukas Jesu Antwort auch mit den Worten: *„dieses Gleichnis"* (Lk 15,3) ein. Die Gleichnisse sind daher verbunden durch das Wort *„oder"* (V. 8) und durch die Formulierung *„Er sprach aber"* (V. 11), was zeigt, dass es nicht drei verschiedene Antworten auf die Frage nach Gottes Haltung zu Sündern sind, sondern dass es eine einzige ist.

Bei der Überleitung zum ersten Gleichnis – dem vom suchenden Hirten – begann Jesus nicht, wie so oft in seinen Gleichnissen, indem er sich auf einen bestimmten Menschen bezog, denn das hätte das Gleichnis unpersönlich gemacht; stattdessen sprach er seine Zuhörer direkt an: *„Welcher Mensch unter euch, der hundert Schafe hat und eins von ihnen verloren hat …"* (Lk 15,4). Auf diese Weise veranlasste der Herr jeden seiner Zuhörer, unmittelbar persönliches Interesse an dem zu zeigen, was für jemanden, der einen Verlust erlitten hatte, von Wert war. Darüber hinaus brachte dieser Auftakt seine Zuhörer dazu, über ihre eigene Reaktion auf eine solche Situation nachzudenken. Der Herr wusste, dass in Bezug auf den Wert dessen, was verloren gegangen war, jeder seiner Zuhörer die neunundneunzig verlassen hätte, um das verlorene Schaf zu suchen. Sie hätten nicht nur oberflächlich oder nur kurze Zeit gesucht; vielmehr wären sie dabei sehr gewissenhaft vorgegangen und hätten das Suchen ausgedehnt, bis das wertvolle Schaf schließlich gefunden war. Aufgrund des Wertes dessen, was der Besitzer verloren hatte, wäre die Suche eingeleitet und fortgesetzt worden.

Als der Suchende im Gleichnis das verlorene Schaf gefunden hatte, zeigte er sein Mitgefühl für das Tier, indem er es auf seine Schultern nahm und nach Hause trug. Bei seiner Rückkehr rief er dann seine Freunde und Nachbarn zusammen, damit sie an seiner Freude Anteil nehmen konnten. Die Wiederherstellung dessen, was für ihn von Wert war, brachte ihm solch eine Freude, dass er andere herbeirief, um sich mit ihm zu freuen. Jesus lehrte auf diese Weise, dass Gott der Vater beharrlich und sorgfältig nach dem Verlorenen sucht und so viel Freude an der Wiederherstellung dieses Verlorenen hat, dass er andere zusammenruft, um seine Freude mit ihnen zu teilen. Damit die Pharisäer auf jeden Fall verstanden, worum es ging, erklärte Jesus: *„So wird Freude im Himmel sein über einen Sünder, der Buße tut, mehr als über neunundneunzig Gerechte, die die Buße nicht nötig haben"* (Lk 15,7). Er zog keineswegs den Schluss, dass die Pharisäer, die mit den neunundneunzig gemeint waren, aus Gottes Sicht gerecht waren. Sie waren ihrer eigenen Ansicht nach gerecht, und sie hielten sich für solche, die keiner Buße bedurften. Der Sünder, der Buße tat, erfreute Gott – anders als die selbstgerechten Pharisäer, die Jesu Einladung zur Buße ablehnten.

Um diese Lektion ein zweites Mal zu verdeutlichen, verwendete Jesus das Bild einer Frau, die zehn Silbermünzen besaß. Die Münzen waren vielleicht die Mitgift der Frau, die sie bei ihrer Hochzeit geschenkt bekommen hatte. Solche Münzen wurden normalerweise an einem Stirnband befestigt und auf der Stirn getragen, damit jeder sie sehen konnte. Der Verlust einer der Münzen würde Untreue seitens der Braut gegenüber ihrem Ehemann nahelegen. Die Münzen hatten nicht nur einen finanziellen Wert, sondern waren auch von emotionaler Bedeutung, denn sie standen für das Band zwischen Braut und Bräutigam und für die Treue, die solch eine Verbindung zur Folge hatte.

Im Gleichnis von der verlorenen Münze begann die Frau, in ihrem Haus danach zu suchen. Die Häuser hatten damals entweder einen Lehm- oder einen Steinboden. Um den Staub unter Kontrolle zu halten oder um Kälte und Feuchtigkeit abzuhalten, wurden die Böden mit Stroh bedeckt. Um eine Münze, die auf den Boden gefallen war, zu suchen, war es notwendig, das Stroh beiseite zu räumen, es zu durchsuchen und dann den Boden zu fegen. Solch eine Suche bedeutete also einen erheblichen Aufwand, doch die Münze war von so hohem Wert, dass die Arbeit als der Mühe wert erachtet wurde. Die Frau schreckte keineswegs vor der Aufgabe zurück, weil so viel Arbeit damit verbunden war; stattdessen durchsuchte sie fleißig das Stroh, bis die Münze gefunden war. Der Wert der Münze rechtfertigte die Arbeit. Über den Lohn für ihre große Mühe empfand die Frau eine solche Freude, dass sie sie nicht für sich behalten konnte; daher rief sie ihre Freunde und Nachbarn und lud sie ein, sich mitzufreuen. Erneut offenbarte Jesus durch dieses Gleichnis, dass Gott unermüdlich nach Sündern sucht, ohne Rücksicht auf die damit verbundene Mühe. Wenn ein Sünder Buße tut und für Gott wiederhergestellt ist, freut Gott sich an der Wiederherstellung und ruft die Engel im Himmel zusammen, damit sie in seinen Jubel über den *„Sünder, der Buße tut"* (Lk 15,10) einstimmen.

Jesus fuhr fort, diese Lektion noch weiter zu vertiefen, indem er ein drittes Gleichnis hinzufügte. Zwar wird die Betonung darin für gewöhnlich auf den verlorenen Sohn gelegt. Es wird aber falsch verstanden, wenn die Betonung nicht auf dem Vater liegt, der zwölf Mal in dieser Geschichte erwähnt wird. Jesus zeigte weiterhin, welche Haltung Gott gegenüber Sündern einnimmt. Das wird nicht durch den verlorenen Sohn deutlich, sondern durch den suchenden Vater. Der Sohn besaß in der Tat einen abscheulichen Charakter. Er zeigte seine Selbstsucht, indem er von seinem Vater die Herausgabe seines Erbteils verlangte. Solch ein Erbteil würde ihm normalerweise nach dem Tod seines Vaters zukommen, doch er verlangte es im Voraus, um seine fleischlichen Begierden zu befriedigen. Der Vater erfüllte ihm trotzdem seinen Wunsch. Das Verhalten des Sohnes glich dem des Volkes Israel, wie Psalm 106,14-15 festhält: *„Sie gierten voller Begierde in der Wüste, stellten Gott in der Einöde auf die Probe. Da erfüllte er ihnen ihre Bitte, und er sandte Schwindsucht in ihre Seele.“* Die Sünden der Väter waren wahrlich von dieser Generation verübt worden.

Der Sohn wollte die fürsorgliche Obhut seines Vaters verlassen und der Verantwortung vor seinem Vater entfliehen; daher verließ er das Haus seines Vaters und brach auf in ein fernes Land, wo er völlig unabhängig von seinem Vater leben konnte. Er gab sich seinen Begierden hin und *„vergeudete … sein Vermögen, indem er verschwenderisch lebte“* (Lk 15,13). Obwohl sein Erbe sicherlich beträchtlich war, war es durch seine Maßlosigkeit bald aufgebraucht. Dann wurde das Land von einer schweren Hungersnot gelähmt, die in kurzer Zeit die Preise für Lebensmittel eskalieren ließ. Der junge Mann besaß nichts mehr, womit er sich auch nur das Notwendigste hätte kaufen können, und so war er in äußerster Not. Da er sein gesamtes Erbe durchgebracht hatte, musste er sich eine Arbeit suchen; und die einzige freie Stelle war die eines Schweinehirten. Wie ungeheuer erniedrigend war es für einen Juden, Tiere zu hüten, deren bloße Gegenwart zeremonielle Verunreinigung bewirkte! Für die Schweine wurde besser gesorgt als für den Schweinehirten. Sein Lohn reichte nicht einmal dazu aus, seinen Hunger zu stillen, und so verlangte ihn nach dem Futter, das er den Schweinen gab.

Doch er wagte es nicht, etwas von dem Schweinefutter für sich zu verwenden, und so blieb ihm nichts anderes übrig als zu betteln. Doch wegen der Hungersnot hatte niemand etwas zu essen übrig. Dieser Sohn hatte die Liebe des Vaters zurückgewiesen und das Haus seines Vaters verlassen. Er hatte sich seiner Autorität entzogen, doch er konnte nicht vergessen, welchen Überfluss er bei seinem Vater gehabt hatte. Er begann, sich nach der Fürsorge zu sehnen, die sein Vater seinen Knechten schon zukommen ließ, und er verglich seinen gegenwärtigen Zustand mit den guten Bedingungen der Knechte seines Vaters. Das veranlasste ihn zu dem Entschluss, zum Haus seines Vaters zurückzukehren und wenigstens die Vorteile zu nutzen, die sein Vater seinen Knechten bot. Der Sohn erkannte, dass es nichts an ihm gab, was ihn seinem Vater empfehlen würde. Er wusste, dass sein Vater einen berechtigten Grund hatte, ihm die Rückkehr in sein Haus zu verweigern, wenn er die Absicht hatte, ihn zu bestrafen. Der Sohn legte sich daher einen Plan zurecht, von dem er hoffte, dass er sich dadurch bei seinem Vater zumindest wieder so beliebt machen konnte, dass dieser ihm zwar nicht die Gunst eines Sohnes, vielmehr aber die eines Knechtes gewährte. Der Sohn erkannte, dass ein Schuldbekenntnis notwendig war, und so beabsichtigte er, seinem Vater mit den Worten zu begegnen: *„Vater, ich habe gesündigt gegen den Himmel und vor dir"* (Lk 15,18). Er wollte darüber hinaus seine Unwürdigkeit zum Ausdruck bringen, wieder wie vorher die Vorrechte der Sohnschaft zu genießen, indem er bekannte: *„Ich bin nicht mehr würdig, dein Sohn zu heißen"* (V. 19).

Es ist festzuhalten, dass beide Aussagen der Wahrheit entsprachen. Er hatte gesündigt, und er war es nicht wert, wieder in seine frühere Stellung eingesetzt zu werden. Wenn dennoch eine Wiederherstellung erfolgen sollte, musste sie auf einer anderen Grundlage stattfinden als der seiner Würdigkeit. Der Sohn wollte nun seinem Vater folgenden Vorschlag unterbreiten: *„Mach mich wie einen deiner Tagelöhner"* (V. 19). Durch treuen Dienst hoffte er, sich bei seinem Vater beliebt zu machen, um von ihm wieder versorgt zu werden. Das waren die Dinge, die der Sohn im Sinn hatte, als er die lange Reise zurück zum Haus seines Vaters antrat.

Bis dahin finden wir im Gleichnis noch nichts über die Haltung, die Gott der Vater gegenüber den Sündern einnimmt. Stattdessen wird uns vielmehr durch den Sohn die Not von Sündern gezeigt. Nun aber fährt das Gleichnis fort und offenbart uns die Haltung des Vaters Sündern gegenüber. In der Erzählung heißt es: *„Als er aber noch fern war, sah ihn sein Vater“* (Lk 15,20). Der ursprüngliche griechische Text legt die Betonung auf die Wörter „noch fern“ und zeigt damit an, dass der Vater nicht im Haus blieb und einfach nur hoffte, dass der Sohn irgendwann zurückkehrte. Stattdessen wartete der Vater sehnlichst auf die Rückkehr des Sohnes und ging deshalb offenbar eine beträchtliche Strecke vom Haus zu einem Aussichtspunkt, wo er zum frühestmöglichen Zeitpunkt von der Rückkehr des Sohnes erfahren konnte.

Als der Vater seinen Sohn sah, wurde er *„innerlich bewegt“* (Lk 15,20). Die Liebe des Vaters begann nicht erst bei der Rückkehr des Sohnes. Der Vater hatte nie aufgehört, seinen Sohn zu lieben. Er liebte den Sohn sogar, als dieser keiner Liebe mehr wert war. Er liebte den Sohn sogar, als dieser von ihm entfremdet war. Er liebte den Sohn sogar, als dieser sein Erbe durch sein ausschweifendes Leben vergeudete. Er liebte den Sohn sogar, als dieser sich dazu hergab, ein Schweinehirte zu werden. Er liebte seinen Sohn sogar, als dieser jeglicher Liebe unwürdig war. Die Liebe veranlasste ihn, seinem Sohn entgegenzulaufen, ihn zu umarmen und ihm seine Liebe dadurch zu zeigen, dass er ihn küsste (V. 20). Der Sohn wurde von der Liebe des Vaters, die diesen überwältigt hatte, förmlich überschüttet.

In diesem Gleichnis betonte Jesus also, dass Gott Sünder liebt und sehnsüchtig auf ihre Rückkehr wartet.

Der Sohn begann, sein sorgfältig vorbereitetes Konzept umzusetzen, das er sich zurechtgelegt hatte. Er bekannte seine Sünde, indem er sagte: *„Vater, ich habe gesündigt gegen den Himmel und vor dir; ich bin nicht mehr würdig, dein Sohn zu heißen"* (V. 21). Der Vater ließ den Sohn aber nicht dazu kommen, ihm sein Angebot zu unterbreiten, Knecht zu werden und sich die Gnade seines Vaters wieder zu erarbeiten. Er hatte ja schon seine Zuneigung für seinen Sohn gezeigt, und nun machte er ihm durch eindeutige Beweise klar, dass er seine vollständige Wiederherstellung im Sinn hatte, indem er ihm wieder die Vorrechte der Sohnschaft gewährte. Der Vater befahl seinen Knechten und wies sie an: *„Bringt schnell das beste Gewand heraus und zieht es ihm an"* (V. 22a). Dieses Gewand hatte dieselbe Bedeutung wie das Gewand, das Jakob Josef geschenkt hatte (1Mo 37,3-4) als Zeichen dafür, dass Josef von seinem Vater zu seinem Erben erwählt wurde. Im Gleichnis bewies dieses Gewand also, dass der einst widerspenstige, nun aber wiederhergestellte Sohn wieder zum Erben seines Vaters eingesetzt war. Überdies befahl der Vater den Knechten: *„Tut einen Ring an seine Hand"* (V. 22b). Der Ring war ein Zeichen für Autorität. Durch das Eindrücken des Siegelrings in Wachs wurden Verträge besiegelt. Die Übergabe des Rings an den Sohn bedeutete, dass der Vater dem Sohn das Vorrecht gab, die ganze Autorität des Vaters bei Geschäftsabschlüssen in seinem Namen auszuüben.

Außerdem befahl der Vater den Knechten auch noch: *„... tut ... Sandalen an seine Füße"* (V. 22c). Knechte gingen barfuß. Sandalen waren ein Zeichen dafür, dass jemand Sohn und kein Knecht war. Der, der sich seinem Vater als Knecht anbot, sollte Sandalen erhalten, die ihn von den Knechten im Haus des Vaters abhoben.

Zusätzlich brachte der Vater seine Freude über die Rückkehr seines Sohnes zum Ausdruck, indem er seine Knechte anwies: *„... bringt das gemästete Kalb her und schlachtet es, und lasst uns essen und fröhlich sein"* (Lk 15,23). Dass ein Kalb gemästet worden war, zeigt, dass der Vater die Rückkehr des Sohnes bereits erwartet hatte. Das Kalb, das im Blick auf die erwartete Rückkehr des Sohnes gemästet worden war, sollte nun geopfert werden. Wie der Hirte beim Finden des verlorenen Schafes Freude empfand (V. 6) und die Frau beim Finden der verlorenen Münze (V. 9), so empfand der Vater Freude bei der Rückkehr und Wiederherstellung seines Sohnes. Dies war eine solche Freude, dass sie unbedingt geteilt werden musste. So lehrt das Gleichnis, dass Gott die Sünder liebt, dass Gott nach Sündern sucht, dass Gott Sünder wiederherstellt und dass Gott die Vorrechte und Segnungen der Sohnschaft auf diejenigen überträgt, die zu ihm zurückkehren. Einerseits widerlegten diese drei Gleichnisse auf angemessene Weise den Irrtum der Pharisäer, die darauf bestanden, dass Gott Sünder hasst und sich an ihrem Tod freut. Andererseits offenbarten diese Gleichnisse Gottes Liebe zu Sündern und die Segnungen, die Gott denen überträgt, die zu ihm zurückkehren.

Jesus setzte die Gleichniserzählung fort, indem er den älteren Sohn vorstellte. Er tat dies, um zusätzlich noch die Haltung der Pharisäer zu Sündern und zu Gott herauszustellen, wenn dieser Sünder annimmt. Während die Rückkehr des jüngeren Sohnes bei dem Festmahl gefeiert wurde, war der ältere Sohn auf dem Feld. Er war nicht eingeladen worden, an dem Festmahl teilzunehmen, da der Vater wusste, dass der ältere Sohn über die Rückkehr und Wiederherstellung des jüngeren Sohnes keine Freude empfinden würde. Als der ältere Sohn sich dem Haus näherte, hörte er fröhliche Klänge und fragte einen der Knechte, die am Festmahl teilnahmen, was denn los sei. Ihm wurde mitgeteilt, dass sein jüngerer Bruder zurückgekehrt war, dass der Vater das Kalb, das für die Rückkehr des Sohnes gemästet worden war, hatte schlachten lassen und dass er sich über die Rückkehr des Sohnes freute.

Die Haltung des älteren Sohnes zu seinem Vater zeigte sich so: Er *„wurde zornig und wollte nicht hineingehen“* (Lk 15,28). Er freute sich keineswegs, dass sein jüngerer Bruder zurückgekehrt und wiederhergestellt worden war. In diesem Teil des Gleichnisses offenbarte Jesus, dass die Pharisäer in der Tat Gott kritisierten, wenn sie Jesus dafür kritisierten, dass er Sünder willkommen hieß und mit ihnen aß, den Gott liebt Sünder und heißt sie bei ihrer Umkehr willkommen. Auch der ältere Sohn hätte an dem Festmahl teilnehmen können, dies wird durch folgende Tatsache deutlich: *„Sein Vater aber ging hinaus und redete ihm zu"* (V. 28). Dieses Zureden des Vaters war die Bitte an seinen Sohn, seine Haltung zu seinem Vater und zu seinem Bruder, der zurückgekehrt war, zu ändern. Er konnte ja nicht damit einverstanden sein, dass sein Sohn am Festmahl teilnahm, bevor er nicht seine Einstellung geändert hatte. Der Sohn jedoch weigerte sich, seine Einstellung zu ändern und an dem Fest teilzunehmen. Er bezichtigte seinen Vater der Ungerechtigkeit und sagte: *„Siehe, so viele Jahre diene ich dir, und niemals habe ich ein Gebot von dir übertreten; und mir hast du niemals ein Böckchen gegeben, dass ich mit meinen Freunden fröhlich gewesen wäre"* (V. 29). Der ältere Sohn brachte damit zum Ausdruck, dass sein Vater ihm die Belohnung für seinen Dienst, die ihm rechtmäßig zustand, vorenthalten hatte. Er verglich die Behandlung, die der jüngere Sohn erfahren hatte, mit seiner eigenen Behandlung durch den Vater. Der ältere Sohn meinte, sein Vater hätte ungerecht gehandelt, indem er ihm solche Segnungen vorenthielt. Darauf entgegnete ihm der Vater: *„Kind, du bist allezeit bei mir, und alles, was mein ist, ist dein"* (V. 31). Damit machte Jesus deutlich, dass dieselben Vorrechte, die dem jüngeren Sohn gewährt wurden, auch immer dem älteren Sohn zur Verfügung standen. Doch der ältere Sohn hatte selbst nie von dem Gebrauch gemacht, was ihm der Vater auf seinen Wunsch hin hätte zukommen lassen. Deshalb durfte der ältere Sohn nicht dem Vater die Schuld dafür geben, dass er nicht hatte, woran sich der jüngere Sohn nun erfreute. Der Vater hielt diese Segnungen für den älteren Sohn bereit, der jedoch nie für sich in Anspruch genommen hatte, was der Vater ihm zur Verfügung stellte. Der Fehler lag daher nicht beim Vater, sondern bei dem älteren Sohn. In diesem Teil des Gleichnisses versuchte Jesus den Pharisäern zu vermitteln, dass sie durch ihre Haltung zu Gott offenbarten, dass sie keine wahren Knechte und keine wirklichen Söhne waren, obgleich sie sich selbst als Knechte und Söhne Gottes bezeichneten. Gott hatte ihnen dieselben Vorrechte zur Verfügung gestellt wie dem Sünder, der zu ihm umkehrte. Doch die Pharisäer waren nicht zu Gott gekommen, um von ihm die Segnungen zu empfangen, die er bereithielt; trotz ihrer Stellung als Söhne waren sie keine wirklichen Söhne. Wenn sie tun würden, was der jüngere Sohn tat – also zu Gott kommen und ihre Sündhaftigkeit und Unwürdigkeit vor ihm eingestehen –, würden sie von Gott dieselben Segnungen und Vorrechte erhalten, die dem reuigen Sünder übertragen wurden.

Jesus machte also durch diese drei Gleichnisse überaus deutlich, warum er Sünder willkommen hieß und mit ihnen aß. Er demonstrierte die Barmherzigkeit Gottes Sündern gegenüber. Im Gegensatz zum Denken der Pharisäer nimmt Gott bußfertige Sünder an, anstatt sie abzuweisen. Im Gegensatz zur Lehre der Pharisäer freut sich Gott nicht am Tod der Sünder, sondern er freut sich vielmehr darüber, wenn Sünder wiederhergestellt werden und ihm nachfolgen. Gott hat Freude daran, den Unwürdigen die Vorrechte der Sohnschaft zu verleihen, und solche Vorrechte würden selbst den Pharisäern zuteilwerden, wenn sie tun, was der widerspenstige Sohn tat: Zum Vater zurückkehren, ihre Sündhaftigkeit eingestehen, seine Vergebung annehmen und in den Stand der Sohnschaft eintreten und deren Vorrechte genießen.

KAPITEL 22

Der kluge Verwalter

Lukas 16,1-13

Der Hintergrund

In dieser Phase seines Dienstes setzte sich Jesus mit vielen falschen Einstellungen der Pharisäer auseinander. Er hatte Stellung genommen zu ihren Heucheleien (Lk 12,1) und zu ihrer Habsucht (V. 15); er hatte ihnen vorgeworfen, dass sie ihre Vorrangstellung liebten (14,11); er kritisierte ihre Vorstellung von Gott (15,2) und ihre Weigerung, Buße zu tun (V. 29). Nun setzte er seine Gleichniserzählungen fort, um ihre falsche Einstellung zum Geld zu korrigieren. Seine Absicht war es jedoch nicht nur, die Pharisäer zu tadeln, sondern auch die Jünger in diesen wichtigen Angelegenheiten zu unterweisen.

Das Problem

Die Pharisäer wurden als geldgierig beschrieben (Lk 16,14). Für sie war der Erwerb von Reichtum das höchste Gut im Leben. In 5. Mose 28 hatte Gott denen materiellen Segen verheißen, die das Gesetz hielten. Die Pharisäer schlossen daraus, dass jeder Reichtum notwendigerweise ein Zeichen göttlicher Anerkennung sei. Deshalb widmeten sie sich dem Erwerb dessen, was sie für das Zeichen ihrer Anerkennung durch Gott hielten. Sie stellten ihren Wohlstand protzig zur Schau, um die Menschen davon zu überzeugen, dass sie gerecht seien. Doch ihre Interpretation von Wohlstand war ebenso falsch wie seine Zurschaustellung als Beweis ihrer Gerechtigkeit. Angesichts ihres schlechten Vorbildes kam die Frage auf: Wie sollte man dann mit Reichtum umgehen?

Die Lösung

Für einen reichen Mann war es üblich, die Aufsicht über seine Güter einem zuverlässigen Verwalter anzuvertrauen, um sich auf diese Weise von der täglichen Verwaltung der häuslichen Angelegenheiten zu entlasten. Der Reichtum dieses Mannes kam aus dem Verkauf von Olivenöl und Weizen. Er besaß offensichtlich viel Land, und so konnte er eine große Ernte erwirtschaften. Er vertraute dem Verwalter seinen Reichtum so weitgehend an, dass er sich nicht einmal die Mühe machte, dessen Tätigkeit zu überprüfen. Nach einer längeren Zeit kam dem Eigentümer zu Ohren, dass der Verwalter seine Güter schlecht verwaltete. Über die Misswirtschaft des Verwalters war die ganze Gemeinde bereits bestens im Bilde, lange bevor der Eigentümer davon erfuhr. Sie führte dann zur Entlassung des Verwalters. Der Verwalter musste noch über die verbliebenen Güter Rechenschaft ablegen, damit der Eigentümer sich ein Bild davon machen konnte, was noch verfügbar war.

Bis zu diesem Zeitpunkt war die Zukunft des Verwalters gesichert gewesen; doch durch den Verlust seiner Stellung war seine Zukunft nun unsicher. Es gab nur wenige Möglichkeiten, die sich ihm sofort erschlossen. Die erste bestand darin, einen niedrigen Dienst zu übernehmen. Doch er schloss diese Möglichkeit aus, denn er war körperlich nicht imstande, schwere Arbeit zu verrichten. Die Alternative dazu war das Betteln. Dies war im Licht der früheren Vorrechte, die er genossen hatte, und der Ehre, die ihm seine Stellung eingebracht hatte, zu demütigend für den Verwalter, um es auch nur in Betracht zu ziehen. Der Verwalter überlegte sich deshalb eine dritte Möglichkeit: Ihm stand noch etwas Zeit zur Verfügung, bevor seine Entlassung wirksam wurde. Er konnte in dieser letzten Zeit seine Befugnisse als Verwalter dazu einsetzen, Freunde zu gewinnen, um zu erreichen, dass diese nach seiner Entlassung für ihn sorgen würden. Dazu bestellte der Verwalter all diejenigen ein, die sich bei seinem Herrn enorm verschuldet hatten. Der erste schuldete ihm ungefähr dreitausend Liter Olivenöl. Der Verwalter ließ den Schuldner seinen Schuldschein umschreiben und halbierte dessen Schulden. Der zweite schuldete tausend Scheffel Weizen. Der Verwalter wollte sich auch mit diesem Schuldner gut stellen und ließ seine Schuld auf achthundert Scheffel heruntersetzen. Mit dieser Vorgehensweise handelte der Verwalter betrügerisch (Lk 16,8), denn er war immer noch für die Güter seines Herrn verantwortlich. Indem er die Schulden verringerte, betrog er seinen Herrn um das, was ihm rechtmäßig zustand. Anstatt sich um die Güter seines Herrn zu sorgen, handelte der Verwalter selbstsüchtig und war nur um sein eigenes Wohl besorgt. Er war unredlich.

Doch als der Eigentümer schließlich bemerkte, was sein Verwalter getan hatte, lobte er *„den ungerechten Verwalter, weil er klug gehandelt hatte"* (Lk 16,8). Der Eigentümer lobte ihn nicht für seine Unehrlichkeit und Selbstsucht, sondern für seine Klugheit. Der Verwalter hatte seine Möglichkeiten im Blick auf zukünftige Vorteile genutzt. In diesem Sinne handelte er weise. Ein törichter Mensch lebt nur für die Gegenwart und nutzt seinen persönlichen Besitz nur für das Jetzt. Ein weiser Mensch hat auch die Zukunft im Blick und nutzt seinen persönlichen Besitz, um in der Zukunft Gewinn zu machen; im weltlichen Bereich ist dies ein grundlegendes Wirtschaftsprinzip. Jesus urteilte, dass *„die Söhne dieser Welt … klüger sind als die Söhne des Lichts gegen ihr eigenes Geschlecht"* (V. 8). Er brachte damit zum Ausdruck, dass seine Jünger vernünftige Geschäftsprinzipien anwenden und ihre Zeit, ihre Vorrechte und ihren Besitz nicht für die Gegenwart nutzen sollten, sondern mit dem Blick auf die zukünftige Belohnung.

Jesus wendete dieses Prinzip an, indem er seine Jünger dazu ermahnte, beim Gebrauch dessen, was ihnen anvertraut wurde, treu zu sein. Er sagte zu ihnen: *„Wer im Geringsten treu ist, ist auch in vielem treu … Wenn ihr nun mit dem ungerechten Mammon nicht treu gewesen seid, wer wird euch das Wahrhaftige anvertrauen?"*

(Lk 16,10-11). Seine Unterweisung durch dieses Gleichnis schloss Jesus mit dem Hinweis: „*Kein Haussklave kann zwei Herren dienen; denn entweder wird er den einen hassen und den anderen lieben, oder er wird dem einen anhängen und den anderen verachten. Ihr könnt nicht Gott dienen und dem Mammon*" (V. 13).

Jesus gebrauchte die Wörter lieben und hassen gemäß der jüdischen Redewendung. In ihnen drückt sich also der Wille aus und nicht Gefühle. Wer liebt, wählt und unterwirft sich dem Objekt seiner Zuneigung. Wer hasst, wendet sich davon ab und weigert sich, sich dem Objekt seines Hasses zu unterwerfen. Jesus machte unmissverständlich klar, dass man nicht Gott dienen und gleichzeitig Sklave des Geldes sein kann. Es ist unmöglich, zwei Herren gleichzeitig zu dienen, denn die beiden Herren werden niemals darin übereinstimmen, was sie von dem erwarten, der ihnen dient. Ein Jünger muss sich daher entscheiden, ob er Christus seinen Herrn nennt oder dem Mammon, d. h. dem Geld, dient.

KAPITEL 23

Der reiche Mann und der arme Lazarus

Lukas 16,19–31

Der Hintergrund

Die Geldliebe der Pharisäer war sowohl in ihrer Theologie als auch in ihrer Praxis so tief verwurzelt, dass Jesus in diesem Zusammenhang ein zweites Gleichnis erzählte, um das Missverständnis seiner Jünger zu korrigieren und sie in Bezug auf die richtige Einschätzung des Geldes zu unterweisen.

Das Problem

Aus dem vorherigen Gleichnis unseres Herrn ergeben sich ganz von selbst die folgenden Fragen: Worin besteht die Gefahr, wenn man dem Geld dient? Was ist das Ergebnis, wenn man sich dem Streben nach materiellem Besitz hingibt?

Die Lösung

Zu Beginn des Gleichnisses haben wir einen kontrastierenden Vergleich zwischen einem Reichen und einem Armen. Der Reiche konnte sich allem Luxus des Lebens hingeben. Er stellte seinen angehäuften Reichtum protzig zur Schau, wenn er, in Purpur und feines Leinen gekleidet, vor allen Leuten umher stolzierte. Im Gegensatz dazu gab es einen armen Bettler, der wegen Hunger und Krankheit zum Laufen zu schwach war. Dieser arme Mann lag vor der Tür des Reichen. Dort bat er um Almosen und hoffte, dass der Reiche, der seinem Mangel abhelfen konnte, angesichts seines Elends Barmherzigkeit üben würde. Falls der Reiche unter dem Einfluss pharisäischer Theologie stand, hätte er sich aufgrund des Reichtums, den er aufgehäuft hatte, wohl für gerecht vor Gott gehalten. Doch die Tatsache, dass er keine Barmherzigkeit übte, zeigte, dass er nicht gerecht war, denn das Gesetz forderte als Beweis für Gerechtigkeit, dass man den Nächsten liebt wie sich selbst (Lk 10,27). Obwohl der Reiche die Not des Bettlers, der vor seiner Tür lag, sah und der Not hätte abhelfen können, reagierte er nicht darauf. So zeigte er, dass er nicht die Gerechtigkeit erfüllte, die das Gesetz forderte, und deshalb war er aus Gottes Sicht nicht gerecht. Der Reiche hätte seinen „Nachbarn" nicht einmal aufsuchen müssen, um ihm Barmherzigkeit zu erweisen, denn dieser lag ja direkt vor seiner Tür. Er hatte viele Gelegenheiten, seine Barmherzigkeit zu erweisen, doch er hatte sich stets geweigert, dies zu tun.

Im weiteren Verlauf des Gleichnisses zeigt uns Jesus das jeweilige Schicksal der beiden Männer. Wie groß der Gegensatz zwischen ihnen zu Lebzeiten auch war, im Tod war er noch größer. *„Es geschah aber, dass der Arme starb und von den Engeln in Abrahams Schoß getragen wurde"* (Lk 16,22). *„Abrahams Schoß"* war ein jüdischer Ausdruck für die Gegenwart bei Gott. Der pharisäischen Theologie gemäß war der Bettler arm, weil er gottlos war und daher von Gott gehasst wurde. Die Pharisäer lehrten, dass Gott so jemanden aus seiner Gegenwart entfernt und zu Tode bringt. Doch Jesus lehrte, dass der Arme in Gottes Gegenwart aufgenommen wurde. Nachdem der Reiche gestorben war, hätte er der pharisäischen Lehre nach unmittelbar in Gottes Gegenwart gebracht werden müssen und sich dort des ewigen Lebens erfreuen können. Doch Jesus lehrte, dass der Reiche von der Gegenwart Gottes ausgeschlossen und in den Hades geworfen wurde. Anstatt nun Segen zu genießen, litt er Qualen. Derjenige, der den Bettler verachtet und sich selbst gerühmt hatte, dass er nicht wie der Bettler war, beneidete nun den Bettler, denn er konnte die Freude sehen, in die der Bettler eingegangen war.

Jesus lehrte hier, dass Reichtum nicht notwendigerweise ein Zeichen von Gottes Anerkennung ist; ebenso wenig ist der Besitz von Reichtum eine Garantie für den Eingang ins ewige Leben. Der Reiche hatte auf seinen Reichtum vertraut, um erlöst zu werden, und nun war er in der Hölle gelandet. Der Bettler war ebenso *„arm im Geist"* (Mt 5,3) wie arm an materiellen Gütern; aber weil er arm im Geist war, befand er sich nun in der Gegenwart Gottes. Jesus hat des Öfteren die Qual der ewigen Strafe mit brennendem Feuer verglichen. Dem Reichen widerfuhr nun diese Qual, und er bat darum, dass Gott ihm Barmherzigkeit erweisen möge, indem er ihm Lazarus herübersandte, damit *„er die Spitze seines Fingers ins Wasser taucht und meine Zunge kühlt"* (Lk 16,24). Was für eine Ironie, dass der Reiche, der sich geweigert hatte, Lazarus in seiner Not auch nur die geringste Barmherzigkeit zu erweisen, nun darum bat, dass Lazarus das Instrument sein sollte, damit ihm in seiner Not Barmherzigkeit erwiesen wurde. Er betonte die Dringlichkeit seiner Bitte, indem er auf die Größe seiner Qual hinwies: *„Ich leide Pein in dieser Flamme"* (V. 24).

Bis hierhin hatte Jesus klar gemacht, dass der Besitz von Reichtum keine Rettung garantiert und andererseits das Fehlen von Reichtum Rettung nicht ausschließt. Weil Geld nicht retten kann, hat Jesus davor gewarnt, sich zum Sklaven des Geldes zu machen. Wer auf Geld vertraut, vertraut sein ewiges Geschick einer Sache an, die niemanden zu retten vermag.

In seinem Gleichnis fuhr Jesus nun fort zu zeigen, dass materielle Dinge nur einen zeitlich begrenzten Wert haben, keinen ewigen. Abraham antwortete auf die Bitte des Reichen um Linderung, indem er ihn als *„Kind"* anredete (Lk 16,25). Er war Abrahams Sohn oder Nachkomme dem Fleisch nach, aber er war nicht durch Glauben mit Abraham verwandt; und ohne Abrahams Glauben konnte der Reiche nicht gerettet werden. Gemäß der rabbinischen Lehre glaubten die Pharisäer, dass ihr Vater Abraham am Tor des Hades saß und nicht einen seiner Söhne an den Ort der Qual gelangen ließ. Der Reiche meinte, dass er ewig sicher wäre, weil er reich und ein leiblicher Nachkomme Abrahams war. Jesus zeigte nun, dass keiner dieser beiden Gründe ausreichend für das Heil war. Der materielle Reichtum, den der Reiche besaß, konnte nur während seiner Lebenszeit auf Erden genossen werden. Sein irdischer Reichtum konnte nicht in den himmlischen Bereich mitgenommen werden, obgleich, wie Christus in einem früheren Gleichnis gelehrt hatte, solcher Reichtum zu Lebzeiten dazu verwendet werden konnte, ewigen Lohn zu erlangen. Wären die Besitztümer übertragbar gewesen, hätte der Reiche mit ihnen Wasser aus einer erfrischen Quelle erwerben können, um seinen brennenden Durst zu stillen!

Jesus machte auch deutlich, dass mit dem Tod das ewige Geschick eines Menschen besiegelt ist. Zwischen denen in der Gegenwart Gottes und denen im Hades ist *„eine große Kluft festgelegt, damit die, welche von hier zu euch hinübergehen wollen, es nicht können, noch die, welche von dort zu uns herüberkommen wollen"* (Lk 16,26). Die Barmherzigen in der Gegenwart Gottes mögen durch das Elend derer berührt sein, die von Gott getrennt sind, doch es ist ihnen nicht möglich, den Nöten der Gepeinigten abzuhelfen. Deren Geschick wurde bei ihrem physischen Tod besiegelt.

Die Erinnerung des Reichen war nicht aus seinem Gedächtnis gelöscht. Er konnte sich erinnern! Er konnte sich sein vergebliches Vertrauen auf den Reichtum und seine falsche Hingabe daran ins Gedächtnis zurückrufen. Er konnte sich an die Möglichkeit erinnern, die er gehabt hatte, seinen Reichtum dazu zu verwenden, Barmherzigkeit zu üben, und so zu zeigen, dass er gerecht war. Und er wusste, dass seine Brüder dieselbe Einstellung hatten, die ihm zu eigen gewesen war und ihn in seinen gegenwärtigen Zustand gebracht hatte; er brachte seine Sorge um sie zum Ausdruck. Er bat darum, dass Lazarus zu seinen Brüdern gesandt wurde, um sie vor der Gefahr zu warnen, sich auf ihren Reichtum zu verlassen, was die Errettung betrifft. Er nahm an, dass das Wiedererscheinen eines Menschen, der vom Tod erweckt worden war, sie einsichtig machen würde. Doch Abraham antwortete: „*Sie haben Mose und die Propheten. Mögen sie die hören*" (V. 29). Das Gesetz und die Propheten bezeugten Gottes Forderungen in Bezug darauf, ihm zu folgen, und offenbarten, wie Menschen von Gott angenommen werden können. Das Zeugnis des Gesetzes und der Propheten genügte, und es war kein zusätzlicher Zeuge notwendig, um Menschen zum Glauben zu bringen.

Jesus beantwortete also die drängende Frage, warum es gefährlich war, sich auf Reichtum zu verlassen. Er zeigte, dass Reichtum keine Rettung bieten kann und nur eine vorübergehende Bedeutung hat. Außerdem zeigte Jesus, dass das ewige Geschick eines Menschen bei dessen Tod besiegelt wird und dass der frühere Reichtum eines Menschen diesem nichts mehr nützt, sobald er in den ewigen Zustand eingetreten ist. Wenn Reichtum selbstsüchtig verwendet wird, wird er vergehen; doch wenn er eingesetzt wird, um Barmherzigkeit zu üben, kann er ewigen Lohn einbringen.

KAPITEL 24

Der unnütze Sklave

Lukas 17,7-10

Der Hintergrund

Jesus hatte seinen Jüngern durch Gleichnisse Belehrungen über ihre Verantwortung ihm gegenüber gegeben. In Lukas 17 warnt der Herr sie davor, ihr Leben als ein schlechtes Vorbild zu führen und so andere Menschen zur Sünde zu verführen. Er hatte die Jünger auch über ihre Verpflichtung unterwiesen, jemandem zu vergeben, der gegen sie gesündigt hatte. Sie erkannten, dass sie Glauben benötigten, um Jesu Lehren und Anweisungen und die daraus erwachsenden Verpflichtungen anzunehmen.

Jesu Anweisungen waren so außergewöhnlich, dass die Apostel ausriefen: *„Mehre uns den Glauben!"* (Lk 17,5). Die Antwort Jesu lautete: *„Wenn ihr Glauben habt wie ein Senfkorn, so würdet ihr zu diesem Maulbeerfeigenbaum sagen: Entwurzele dich und pflanze dich ins Meer! Und er würde euch gehorchen"* (V. 6). Er brachte damit zum Ausdruck, dass sie keineswegs mehr Glauben brauchten; vielmehr mussten sie den Glauben, den sie bereits hatten, anwenden, um die Verpflichtungen zu erfüllen, die ihnen durch das Wissen, das er ihnen vermittelte, auferlegt wurden.

Das Problem

Dieses Gleichnis beantwortet zwei Fragen: „Was ist die Verpflichtung eines Jüngers gegenüber seinem Herrn? Welche Haltung sollte ein Jünger einnehmen, während er seinem Herrn und Meister dient?"

Die Lösung

In diesem Gleichnis bezog sich Christus nicht auf einen angestellten Knecht, der sich für die Dauer eines Tages zu einem vereinbarten Lohn verdingt hatte. Stattdessen handelt das Gleichnis von einem Sklaven, der das erworbene Eigentum seines Herrn war. Jesus betrachtete die Apostel nicht als angestellte Knechte, sondern als leibeigene Sklaven, die ihm kraft eines Kaufs gehörten. Der Sklave in dem Gleichnis hatte den Tag mit Pflügen auf dem Feld oder mit Schafehüten verbracht. Er wird dies in Übereinstimmung mit dem Willen seines Herrn getan haben.

Jesus betonte, dass ein Besitzer von Sklaven das Recht hatte, ihnen Befehle zu erteilen, und dass die Sklaven dafür verantwortlich waren, die Arbeit zu erledigen, die ihr Herr ihnen aufgetragen hatte. Von Sonnenaufgang bis Sonnenuntergang mussten sie arbeiten, um die ihnen übertragenen Aufgaben zu erledigen. Gegen Abend kehrten sie dann erschöpft und hungrig von ihrem Tagwerk zurück.

In dem Gleichnis war der Sklave aufgrund der Arbeit, die er schon erledigt hatte, nicht von der Pflicht zum weiteren Dienst befreit. Vielmehr wurde ihm befohlen: „*Richte zu, was ich zu Abend essen soll, und gürte dich und diene mir, bis ich gegessen und getrunken habe; und danach sollst du essen und trinken*“ (Lk 17,8). Der Besitzer hatte das Recht, weitere Dienste von Sklaven zu verlangen. Seine Bedürfnisse hatten Vorrang vor den Bedürfnissen der Sklaven. Deshalb wurden ihre persönlichen Bedürfnisse den Forderungen ihres Eigentümers untergeordnet.

Jesus stellte dann die Frage: „*Dankt er etwa dem Sklaven, dass er das Befohlene getan hat?*“ (V. 9) Die Antwort war natürlich nein. Der Eigentümer des Sklaven hatte von seinem Recht Gebrauch gemacht, und der Sklave war seiner Verantwortung als erworbenes Eigentum seines Besitzers nachgekommen. Dank stand Sklaven nicht zu, denn es war ihre gesetzmäßige Pflicht zu gehorchen. Jesus wandte das Gleichnis dann auf die Apostel an, indem er sagte: „*So sprecht auch ihr, wenn ihr alles getan habt, was euch befohlen ist: Wir sind unnütze Sklaven; wir haben getan, was wir zu tun schuldig waren*“ (V. 10).

In diesem Gleichnis betrachtet Jesus die Jünger als seinen erworbenen Besitz und sich selbst als ihren Herrn. Er sah sie als dazu verpflichtet, seinem Willen zu entsprechen, sobald er ihnen denselben kundtat. So sehr standen sie in seiner Schuld, weil er sie erworben hatte. Christus setzte keine Grenzen fest in Bezug auf das, was er von ihnen verlangen würde, ebenso schränkte er ihre Verpflichtung ihm gegenüber ein. Ihre Verpflichtung ihm gegenüber sprach er später erneut im Obersaal an, als er sich an die Elf wendete und ihnen erklärte: „*Ich nenne euch nicht mehr Sklaven, denn der Sklave weiß nicht, was sein Herr tut; euch aber habe ich Freunde genannt, weil ich alles, was ich von meinem Vater gehört, euch kundgetan habe. Ihr habt nicht mich erwählt, sondern ich habe euch erwählt und euch dazu bestimmt, dass ihr hingeht und Frucht bringt und eure Frucht bleibe*“ (Joh 15,15-16). Hier wurden sie also nicht zur Sklaverei verpflichtet, sondern zur Liebe. Aber Liebe legte ihnen eine noch größere Verantwortung auf als jene, die ihnen durch ihr Verhältnis zu Christus als Sklaven auferlegt war.

KAPITEL 25

Der ungerechte Richter und die beharrliche Witwe

Lukas 18,1-8

Der Hintergrund

Als Antwort auf die Bitte der Jünger, sie beten zu lehren (Lk 11,1), hatte Jesus ihnen gesagt, dass sie anhaltend bitten, suchen und anklopfen sollten. Wie bereits erwähnt, kann Lukas 11,10 auch so übersetzt werden: *„Denn jeder, der beharrlich bittet, empfängt; wer beharrlich sucht, findet; und dem, der beharrlich klopft, wird die Tür geöffnet werden."* Damit diese wichtige Wahrheit den Jüngern nicht verloren ging, erzählte Christus ein Gleichnis darüber, wie wichtig diese Beharrlichkeit im Gebet ist.

Das Problem

Nachdem sie von ihrem Herrn unterwiesen waren, sahen sich die Jünger möglicherweise mit folgender Frage konfrontiert: Welche Vorteile hat man durch beharrliches Beten?

Die Lösung

Um diese Frage zu beantworten, malte ihnen Jesus die Person eines Richters vor Augen. Ein Richter trug die Verantwortung, unparteiisch zu sein und das Recht zu bewahren. Jemand, der von einem anderen Unrecht erfahren hat, wird seinen Fall vor den Richter bringen, der dann dafür sorgt, dass der Gerechtigkeit Genüge getan wird. Jesus machte ausdrücklich auf den Charakter dieses Vertreters der Gerechtigkeit aufmerksam. Dieser Richter war einer, *„der Gott nicht fürchtete und vor keinem Menschen sich* *scheute*" (Lk 18,2). Von so jemandem würde man kaum erwarten, dass er auf einen Appell reagiert, der auf Rechtschaffenheit oder Gefühle gründet. Dennoch trug er die Verantwortung dafür, Recht zu sprechen. Zu diesem Richter kam also eine Witwe, um ihr Gesuch vorzubringen. Ihr war Unrecht getan worden, und weil sie eine Witwe war, hatte sie niemanden, der sich ihrer Sache annahm. Deshalb brachte sie ihre Angelegenheit nun vor den Richter und versuchte, Gerechtigkeit zu erlangen.

Aus Dickfelligkeit weigerte sich der Richter zunächst, das Unrecht zu korrigieren, das dieser Witwe angetan worden war. Doch die Klage der Witwe war berechtigt, und so fuhr sie unermüdlich fort, vom Richter Gerechtigkeit zu fordern. Seine Gleichgültigkeit und sein mangelndes Verantwortungsbewusstsein bei der Ausübung seines Amtes hielten die Witwe keineswegs davon ab. Sie brachte ihre Angelegenheit immer und immer wieder vor. Ihre unerschütterliche Überzeugung, im Recht zu sein, ließ sie in Bezug auf ihr Gesuch hartnäckig bleiben.

Aufgrund ihrer Beharrlichkeit sah sich der Richter schließlich gezwungen, das Unrecht zu korrigieren, und er entschloss sich, der Frau zu ihrem Recht zu verhelfen. Doch obwohl er ihr nun half, blieb er selbstsüchtig und gleichgültig in Bezug auf Gerechtigkeit. Er wollte sich lediglich von dem Ungemach befreien, das die Beharrlichkeit der Frau ihm bereitete.

Der Herr zeigte damit den Jüngern, dass jemand, der eine gerechte Sache vertritt, zu Recht darauf beharren kann, dass sie durchgesetzt wird. Selbst ein ungerechter, gleichgültiger Richter kann durch Beharrlichkeit dazu gebracht werden, Recht zu sprechen. Jesus zog folgenden Schluss aus diesem Vergleich: „*Gott aber, sollte er das Recht seiner Auserwählten nicht ausführen, die Tag und Nacht zu ihm schreien, und sollte er es bei ihnen lange hinziehen? Ich sage euch, dass er ihr Recht ohne Verzug ausführen wird*" (Lk 18,7-8). Wenn sogar ein ungerechter Richter dazu gebracht werden kann,

Recht zu sprechen, und zwar als Reaktion auf die beharrliche Bitte eines Menschen, der eine rechtmäßige Sache hervorbringt, wird dann nicht umso mehr ein gerechter und barmherziger Gott denen antworten, die zu Recht eine beharrliche Bitte vor ihn bringen?

In seiner ersten Unterweisung über das Gebet hatte Jesus seinen Jüngern geboten, so zu beten: *„Dein Reich komme; dein Wille geschehe, wie im Himmel, so auch auf Erden“* (Mt 6,10). Das Königreich, das Jesus anbot, wurde zurückgewiesen, und der König wurde abgelehnt. Jesus riet seinen Jüngern, trotz allen Widerstandes beharrlich im Gebet zu bleiben, mit der Gewissheit, dass Gott Gebet hören und darauf reagieren wird. Gott würde auf ihre Bitten antworten und ihre Anliegen im Reich erfüllen. Auch wenn das Kommen dieses Reiches auf einen späteren Zeitpunkt verschoben wurde, eines Tages würde es errichtet werden; diejenigen, die sich dem Reich entgegenstellten, werden dann gerichtet werden; und die Gerechten, die das Reich erwarteten, werden gerechtfertigt werden. Jesus beendete das Gleichnis mit einer Frage: *„Doch wird wohl der Sohn des Menschen, wenn er kommt, den Glauben finden auf der Erde?“* (V. 8). Der Kontext zeigt, dass er darauf eine negative Antwort erwartete. Der Herr wollte damit sagen, dass die Jünger im Glauben beharrlich sein sollten, trotz fortgesetzter Gegnerschaft und Zurückweisung, und dass Gott zu seiner Zeit ihre Bitte, *„dein Reich komme“*, erfüllen wird.

KAPITEL 26

Der Pharisäer und der Zöllner

Lukas 18,9-14

Der Hintergrund

Im weiteren Kontext hatte Jesus die Jünger über das Gebet belehrt. Im Gleichnis vom ungerechten Richter und der Witwe hatte er gezeigt, dass jemand mit einem rechtmäßigen Anliegen im Gebet beharrlich sein soll, bis er das Erbetene erhalten hat.

Das Problem

Zwei Fragen stellten sich denen, die der Herr über das Gebet unterwiesen hatte: Was ist die Grundlage für Gebet? Auf welcher Grundlage hat ein Mensch Zugang zu Gott? Die Pharisäer meinten, sich Gott auf der Grundlage ihrer eigenen Gerechtigkeit nähern zu können. Andere meinten, dass sie eine andere Gerechtigkeit als ihre eigene benötigten, um von Gott erhört zu werden. Wegen der theologischen Kontroverse über dieses Thema verlangten diese Fragen Antworten.

Die Lösung

Dieses Gleichnis war in erster Linie nicht an die Jünger gerichtet, sondern vielmehr an jene, *„die auf sich selbst vertrauten, dass sie gerecht seien, und die Übrigen verachteten“* (Lk 18,9). So sehen wir, dass die Pharisäer in der Nähe Jesu waren und dass er versuchte, ihre falsche Lehre zu korrigieren. Im Gleichnis gingen zwei *„Menschen … hinauf in den Tempel, um zu beten“* (V. 10). Die Juden glaubten, dass ein Gebet schneller erhört wird, wenn es auf dem

Tempelgelände verrichtet wird. Im Alten Testament heißt es, dass Gott für eine bestimmte Zeit im Zelt der Begegnung wohnte; später erwählte er sich den Tempel als seine Wohnung. Das Allerheiligste war der Ort, wo die Wolke der Herrlichkeit Gottes anwesend war. Von diesem heiligsten Ort aus offenbarte Gott dem Volk seine Gegenwart. Das Volk war dazu angehalten, sich immer wieder am Zelt der Begegnung oder vor dem Tempel zu versammeln, um die vorgeschriebenen Feste einzuhalten. Um also ihrer Gebetspflicht nachzukommen, gingen diese beiden Männer hinauf in den Tempel. Einer der beiden, ein Pharisäer, war zuversichtlich, dass seine eigene Gerechtigkeit vor Gott bestehen würde. Der andere, ein Zöllner, wurde vom Volk verachtet.

Der Pharisäer zeigte schon durch seine Körperhaltung selbstgerechten Hochmut, denn beim Beten stand er ganz aufrecht. Ihm ging es nicht um die herrliche Größe Gottes, sondern vielmehr um seine eigene vermeintliche Gerechtigkeit. Er hob sich ab von all den *„Übrigen der Menschen"*, wie es *„Räuber, Ungerechte, Ehebrecher oder auch … dieser Zöllner"* (Lk 18,11) waren.

Die Pharisäer als religiöse Sekte hielten nur sich selbst für gerecht und alle anderen, die nicht zu ihnen gehörten, für Sünder und somit als unannehmbar für Gott. Der Pharisäer in dem Gleichnis verhielt sich ganz typisch; er zählte die äußeren Zeichen seiner angeblichen Gerechtigkeit auf: Er fastete zweimal in der Woche und spendete den Zehnten seines Einkommens. Weil er fastete und den Zehnten gab, meinte er, die Gesetzesgerechtigkeit erfüllt zu haben. Ihm war offenbar nicht bewusst, dass Jesus in der Bergpredigt (Matthäus 5–7) gelehrt hatte, dass für Gott nicht die äußere Einhaltung der Tradition als Gerechtigkeit gilt. Gott fordert vielmehr eine innere Gerechtigkeit, die sich in dem, was man tut, widerspiegelt. Der Pharisäer lobte sich nicht nur selbst vor Gott, sondern er versuchte, den anderen Menschen im Tempelbezirk zu zeigen, wie fromm und rechtschaffen er war. Sein Gebet sollte also nicht Gott ehren, sondern ihm selbst Ehre von denen bringen, die ihm dabei zusahen.

Der Zöllner kam mit einer völlig anderen Haltung zum Ort des Gebets. Erstens *„stand [er] weitab"* (Lk 18,13a). Ihm war bewusst, dass er es als Sünder nicht wert war, in der Gegenwart Gottes zu erscheinen. Er wagte es nicht einmal, sich dem Tempel zu nähern, von dem man glaubte, dass Gott darin wohnt. Überdies *„wollte [er] sogar die Augen nicht aufheben zum Himmel"* (V. 13b). Das war wiederum ein äußeres Zeichen dafür, dass er seine eigene Unwürdigkeit erkannt hatte. Er senkte den Blick und schaute nach unten anstatt hinauf zum Tempel. Auch *„schlug [er] an seine Brust"* (V. 13c). Das Schlagen an die Brust war ein Zeichen der Trauer, der Reue und der Zerknirschtheit. Der Zöllner erkannte nicht nur, dass er ein Sünder war, sondern er erkannte *an*, dass er ein Sünder war und gab ein äußeres Zeichen der Reue. Dann brachte er seine Bitte vor und sagte: *„Gott, sei mir, dem Sünder, gnädig"* (V. 13d). Wenn wir diese Bitte richtig verstehen, finden wir hier die Antwort auf die Frage: Was ist die Grundlage für annehmbares Gebet? Der Mann bat nicht um Nachsicht. Er bat Gott nicht, über seine Sünde hinwegzusehen. Er bat ihn nicht, seine Haltung ihm gegenüber zu ändern. Vielmehr stellte sich der Mann unter das Blut, das sühnende Blut, als Grundlage, auf der er Gott nahen konnte, obwohl er Sünder war.

Der Bittende hatte offensichtlich die Vorschriften des großen Versöhnungstages vor Augen, der die Grundlage der Beziehung zwischen Israel und seinem Gott war. Zur Zeit des Auszugs befreite Gott sein Bundesvolk aus der Knechtschaft in Ägypten, sodass man es danach als *erlöstes* Volk bezeichnete. Jesaja sagte: *„Fürchte dich nicht, denn ich habe dich erlöst! Ich habe dich bei deinem Namen gerufen, du bist mein"* (Jes 43,1). Der Ausspruch des Propheten bezog sich auf die Erlösung des Volkes aus Ägypten. Dabei wurde das Volk zu Gottes Eigentum, indem er es sich durch

Blut erkaufte. Jedoch lebte Israel nicht wie ein erlöstes Volk; stattdessen wich es vom Weg des Gehorsams ab. Als Gott das Volk an den Sinai gebracht hatte, offenbarte er ihm die Grundlage, auf der die Gemeinschaft mit ihm stattfinden konnte. Am Sinai setzte Gott den Versöhnungstag ein (3. Mose 16). Die Vorschriften zu diesem bedeutenden Tag mussten von den Priestern ausgeführt werden, die Gott eingesetzt hatte. Dabei trug der Hohepriester besondere Gewänder, die nur an diesem Tag angelegt werden durften. Zuvor musste der Priester baden (V. 4), denn wer unrein war, konnte die Vorschriften des Versöhnungstages nicht ausführen. Nach der Reinigung und Einkleidung suchte der Hohepriester zwei Ziegenböcke für ein Sündopfer und einen Widder für ein Brandopfer aus (V. 5). Er opferte zuerst einen Stier, um für sich selbst Sühnung zu erwirken (V. 6). Seine Sünden mussten von Blut bedeckt sein, bevor er das Volk vertreten und ein Opfer darbringen konnte, um dessen Sünden zuzudecken. Nachdem seine Sünden so durch Blut bedeckt waren, musste er den Ziegenbock des Sündopfers für das Volk opfern. Er goss das Blut in eine Schüssel und sprengte es auf den Sühnedeckel, den Deckel der Bundeslade (3Mo 16,15; vgl. 2Mo 25,17). In dieser Lade waren die Steintafeln des Bundes, die Gott Mose gegeben hatte, ein goldener Krug mit Manna und Aarons Stab, der Knospen getrieben hatte (Hebr 9,4). Sühne war notwendig, weil das Volk die Gesetze Gottes übertreten hatte, durch die Gott es leiten wollte. Indem sie das Gesetz gebrochen hatten, waren sie vor Gott Sünder; und er konnte nicht inmitten eines sündigen Volkes wohnen. Wenn Blut auf den Sühnedeckel gesprengt wurde, stand Blut zwischen dem Gott, dessen Herrlichkeit über dem Sühnedeckel zwischen den beiden Cherubim thronte, und dem Gesetz, das in der Lade unter dem Sühnedeckel lag. Dieses Sprengen des Blutes als Bedeckung des gebrochenen Gesetzes war ein Akt der Versöhnung. Das Blut versöhnte; Gott war der Versöhnte. Für das Volk, das das Gesetz übertreten hatte, wurde die Versöhnung wirksam. Der Sühnedeckel war der Ort der Versöhnung. Dieser Versöhnungsakt bot Gott eine Grundlage, bei seinem Volk zu wohnen, dessen Sünden durch Blut bedeckt worden waren. Nachdem der Hohepriester diese Handlung ausgeführt hatte, kam er aus dem Allerheiligsten und nahm den zweiten Ziegenbock (3Mo 16,20). Er bekannte über ihm die Sünden des Volkes und übergab ihn in die Hand eines Mannes, der den Ziegenbock in die Wüste wegführte (V. 21-22). Zeichenhaft wurde dadurch die Sünde des Volkes entfernt; es stand jetzt unter dem versöhnenden Blut. Gott konnte weiterhin beim Volk wohnen und es als sein Eigentum besitzen, weil er versöhnt worden war. Nach zwölf Monaten musste die ganze Zeremonie wiederholt werden. Das jährliche Wiederholen war notwendig, denn – wie der Hebräerbrief sagt – *„unmöglich kann Blut von Stieren und Böcken Sünden wegnehmen“* (Hebr 10,4).

Das Opfer am Versöhnungstag galt Israel als Volk. Im Gegensatz dazu wurde ein Einzelner, wenn er gesündigt hatte, wieder in die Gemeinschaft mit Gott aufgenommen, indem er eines der Sündopfer aus 3. Mose 4–5 darbrachte. Die Opfer aus 3. Mose 1–3 waren Ausdruck der Anbetung und Dankbarkeit, und sie waren ein *„wohlgefälliger Geruch für den HERRN“* (1,9; 2,2; 3,5). Die Opfer aus 3. Mose 1–5 konnten dem einzelnen Israeliten nur wegen des nationalen Opfers am Versöhnungstag nutzen. Ohne dieses eine Opfer wären alle weiteren einzelnen Opfer sinnlos gewesen. Dem Gesetz nach durften die Opfer nur für unabsichtlich begangene Sünden dargebracht werden. Im Fall einer vorsätzlichen Sünde opferte man nicht das vorgeschriebene Sündopfer für eine einzelne Person; vielmehr stellte man sich unter das Blut des Versöhnungstages. David tat dies nach seiner Sünde mit Batseba. Weil er wusste, dass er eine vorsätzliche Sünde begangen hatte und dass es dafür kein vorgeschriebenes Opfer gab, flüchtete er sich unter das Blut auf dem Sühnedeckel, indem er rief: *„Sei mir gnädig, Gott, nach deiner*

Gnade; tilge meine Vergehen nach der Größe deiner Barmherzigkeit! Wasche mich völlig von meiner Schuld, und reinige mich von meiner Sünde! Denn ich erkenne meine Vergehen, und meine Sünde ist stets vor mir. Gegen dich, gegen dich allein habe ich gesündigt und getan, was böse ist in deinen Augen … Entsündige mich mit Ysop, und ich werde rein sein; wasche mich, und ich werde weißer sein als Schnee" (Ps 51,3-6.9). Indem er sich selbst unter das Blut des Sühnedeckels stellte, erfuhr David erneut die Freude seiner Rettung (V. 14).

Als der Zöllner in dem Gleichnis betete: „*Gott, sei mir, dem Sünder, gnädig*" (Lk 18,13), tat er das Gleiche wie David. Er bat Gott, ihn so anzusehen, wie er auf den Sühnedeckel sah. Weil der Mann Zuflucht unter dem sühnenden Blut suchte, erklärte Jesus: „*Dieser ging gerechtfertigt hinab in sein Haus, im Gegensatz zu jenem*" (V. 14). Gebet beruht nicht auf der eigenen Gerechtigkeit eines Menschen, sondern ist vielmehr möglich, weil ein Sünder Vergebung gefunden hat, indem er sich selbst unter das versöhnende Blut stellt.

Die Vorschriften des Versöhnungstages waren dazu gedacht gewesen, das Werk Jesu Christi am Kreuz vorauszuschatten, wo ein Sühnopfer dargebracht werden sollte. Gott war der Versöhnte, denn das Opfer musste ihm dargebracht werden (Hebr 9,14). Der Leib Jesu war der Ort der Versöhnung (1Petr 2,24). Das Blut Jesu brachte Versöhnung (Hebr 9,22-28). Die Versöhnung des Kreuzes galt für alle Sünder, ganz gleich ob aus der Vergangenheit, Gegenwart oder Zukunft. Es kommt all denen zugute, die im Glauben nach Gott suchen (1Jo 2,2). So können wir aus dem Gleichnis lernen, dass sündige Menschen sich Gott nicht auf der Grundlage ihrer eigenen Gerechtigkeit nähern können, sondern nur durch das Blut Jesu, das als Sühneakt vergossen wurde, damit Gott Sünder erhören und annehmen kann. Deshalb soll Gebet im Namen Jesu erfolgen.

KAPITEL 27

Die Arbeiter im Weinberg

Matthäus 20,1-16

Der Hintergrund

Im vorausgehenden Abschnitt kam ein Mann zu Jesus und fragte: *„Lehrer, was soll ich Gutes tun, damit ich ewiges Leben habe?“* (Mt 19,16). Dieser Mann besaß großen Reichtum (V. 22). Lukas erwähnt, dass er ein *„Oberster“* (Lk 18,18) war. Das bedeutet, er war ein Gesetzesgelehrter, und sein Wissen über das Gesetz hatte ihm Autorität im Hohen Rat verschafft, obwohl er noch jung war (Mt 19,20). Aufgrund seiner Stellung, seines Wissens und seines Reichtums galt solch ein Mensch nach pharisäischen Begriffen als für Gott annehmbar und als ein sicherer Kandidat für das Reich Gottes. Die Frage dieses Mannes war die gleiche wie die des Gesetzeslehrers in Lukas 10,25. Er beschäftigte sich mit Fragen der Gerechtigkeit und wollte Jesu Auslegung hören, wie gerecht jemand sein müsse, um in sein Reich einzugehen. Jesus fragte den Mann, warum er ihm diese Frage stelle, da Gott allein gut und gerecht sei und das Recht habe, das Maß der Gerechtigkeit festzulegen, das zum Eintritt ins Reich erforderlich ist. Auf diese indirekte Weise brachte Jesus den Mann dazu, Stellung zu seiner Person zu beziehen. Wenn Jesus Gott war, wie er es zu sein beanspruchte, dann war seine Antwort maßgeblich. Um Gottes Forderungen an den Menschen deutlich zu machen, wies Jesus auf die Gebote hin. Er sagte nicht, dass der Mann Gerechtigkeit erlangen würde, indem er die Gebote hielt, sondern dass die Gebote das Maß an Gerechtigkeit offenbarten, das Gott für den Eingang in sein Reich verlangte. Nach der pharisäischen Tradition gab es 248 Gebote und 365 Verbote. Als Jesus dem Mann sagte, er solle die Gebote halten, war dieser von der Ungeheuerlichkeit der Anforderung überwältigt und versuchte, das Pensum zu verringern, indem er zurückfragte: *„Welche?“* (Mt 19,18). Jesus fasste daraufhin die zweite Gesetzestafel vom Sinai zusammen, die die Verantwortung der Menschen gegeneinander regelte. Der junge Mann antwortete, dass er diese Gebote alle gehalten habe (V. 20). Nach pharisäischer Tradition nahm er an, kein Gesetz übertreten zu haben, wenn er äußerlich alle Gebote eingehalten hatte. Anstatt einzelne Taten aufzudecken, die bewiesen hätten, dass der junge Mann ein Gesetzesübertreter war, stellte Jesus ihn auf die Probe. Er sagte ihm, er solle all seinen Besitz verkaufen, den Erlös unter den Armen verteilen und ihm dann als Jünger nachfolgen. Der junge Mann konnte diese Probe nicht bestehen, denn er liebte seinen Reichtum zu sehr. Indem er von Jesus wegging, zeigte er, dass er das erste Gebot nicht erfüllt hatte: Du sollst Gott mehr als alles andere lieben (V. 22). Dass dieser Mann, was seine Rettung betraf, auf seinen Reichtum vertraute, war offensichtlich, denn Jesus sagte zu seinen Jüngern: *„Schwer wird ein Reicher in das Reich der Himmel hineinkommen“* (V. 23). Ein Mann, der über Reichtum *verfügt*, kann in das Reich kommen; aber ein Mann, der auf seinen Reichtum *vertraut*, wird niemals dorthin kommen. Jesus sagte nicht, dass es für einen Mann, der auf seinen Reichtum vertraut, schwierig sei, ins Reich zu gelangen; er lehrte er, dass es für ihn unmöglich ist. Wir sehen das an der Tatsache, dass sich Jesus wörtlich auf ein Kamel und die Nähnadel eines Arztes bezog. Wie ein Kamel nicht durch ein Nadelöhr gehen kann, kann jemand nicht in das Reich kommen, der auf seinen Reichtum vertraut. Die Reaktion der Jünger zeigte, dass sie ihr altes Denken noch nicht abgelegt hatten. Sie fragten: *„Wer kann dann gerettet werden?“* (V. 25). Sie meinten: Wenn schon jemand, der von Gott als Anerkennung mit Reichtum gesegnet worden ist, nicht gerettet werden kann, wie kann ein Armer dann jemals gerettet werden?

Jesu Antwort lautete, dass die Rettung von Gott kommt: „*Bei Menschen ist dies unmöglich, bei Gott aber sind alle Dinge möglich*" (V. 26).

Das Problem

Als Petrus das Gespräch mit dem jungen Mann mitangehört hatte, stellte er Jesus eine Frage: „*Siehe, wir haben alles verlassen und sind dir nachgefolgt. Was wird uns nun werden?*" (Mt 19,27). Als Antwort auf den Ruf Jesu hatte Petrus seine einträgliche Stellung als Fischer verlassen; er hatte sein Geschäft, sein Einkommen, sein Zuhause, seine Familie und alles andere aufgegeben, um Jesus zu folgen. Daher war er neugierig auf die Belohnungen, die er erwarten konnte.

Die Lösung

Als Antwort gab Jesus die große Verheißung über das Reich, das er Israel angeboten hatte, das aber abgelehnt worden war. Jesus sagte in Bezug auf das Reich, das einmal errichtet werden wird: „*Ihr, die ihr mir nachgefolgt seid, auch ihr werdet … auf zwölf Thronen sitzen und die zwölf Stämme Israels richten*" (Mt 19,28). Ehrenplätze im kommenden Reich werden denjenigen verliehen, die ihm gefolgt sind. Daraufhin zeigte Jesus im folgenden Gleichnis die Grundlage, auf der Belohnung an diejenigen verteilt wird, die alles verlassen haben, um sich ihm zu verschreiben. Jesus erzählte von einem Grundbesitzer, der früh am Morgen auf den Markt ging, um Arbeiter für seinen Weinberg einzustellen. Während ein Teil seines Landes von Sklaven bearbeitet wurde, arbeiteten Lohnarbeiter auf dem übrigen Land. Es war für Arbeit suchende Männer üblich, sich bei Tagesanbruch auf dem Marktplatz einzufinden. Wer für den Tag Lohnarbeiter brauchte, ging dorthin, um Arbeiter aussuchen und sich mit ihnen auf den Lohn für einen Tag Arbeit zu einigen. Die Arbeiter, die so eingestellt wurden, gingen auf die Felder und arbeiteten bis Sonnenuntergang. Dann erhielten sie ihren Lohn und kehrten nach Hause zurück. Dies wiederholte sich täglich. Bei der Gelegenheit, auf die der Herr sich bezog, hatte der Grundbesitzer eine Gruppe von Männern eingestellt und war mit ihnen übereingekommen, einen Denar zu bezahlen; das war der übliche Tageslohn.

Der Grundbesitzer kehrte zur dritten, sechsten, neunten und elften Stunde zum Marktplatz zurück und fand jedes Mal weitere Männer, die Arbeit suchten. Da es mehr Arbeit gab, als die Lohnarbeiter vom Morgen erledigen konnten, stellte er die Männer jetzt unter der Bedingung ein, dass er ihnen zahle, was recht sei. Da die zusätzlichen Arbeiter später am Tag zur Arbeit kamen, konnten sie nicht erwarten, denselben Lohn zu erhalten wie die, die seit Sonnenaufgang arbeiteten. Am Ende des Tages kamen die Männer, um ihre Löhne zu empfangen. Die nur eine Stunde gearbeitet hatten, erhielten einen Denar. Damit zeigte der Grundbesitzer seine Großzügigkeit ihnen gegenüber, denn sie hatten nur kurze Zeit gearbeitet und keinen Grund, eine üppige Entlohnung zu erwarten. Als die Arbeiter, die den ganzen Tag geschuftet hatten, die Großzügigkeit des Grundbesitzers gegenüber diesen Männern sahen, nahmen sie an, dass sie viel mehr als den vereinbarten Lohn erhalten würden. Doch der Grundbesitzer gab genau das, was er ihnen versprochen hatte – einen Denar. Als sie sich beschwerten, zeigten sie, dass sie die Großzügigkeit ihres Arbeitgebers nicht verstanden hatten. Sie „*murrten … gegen den Hausherrn*" (Mt 20,11), und ließen ihre Einwände laut werden. Die Antwort des Grundbesitzers an einen von ihnen lenkte die Aufmerksamkeit auf seine Gerechtigkeit bei der Entlohnung, denn er erinnerte ihn daran, dass er genau das bekommen hatte, was zuvor vereinbart war. Der Grundbesitzer hatte diesen Arbeitern nicht vorenthalten, was ihnen rechtmäßig zustand. Doch dann betonte er Barmherzigkeit und Gerechtigkeit, als er fragte: „*Ist es mir nicht erlaubt, mit dem Meinen zu tun, was ich will?*“ (V. 15). Also lag der Fehler nicht bei ihm, sondern bei jenen.

Mit diesem Gleichnis beantwortete Jesus die Frage des Petrus: *„Was wird uns nun werden?*“ (Mt 19,27). Jesus sagte, dass ein Jünger die ihm anvertraute Arbeit ausführen und die Verteilung der Belohnung ihm überlassen solle. Der Herr ist gerecht, barmherzig und großzügig; er wird tun, was richtig ist. Das Gleichnis ermutigt uns, die wir am Ende der Zeiten in Jesu Dienst berufen wurden, treu zu sein, denn wir werden aus Barmherzigkeit die gleiche Belohnung erhalten wie jene, die zuerst von Jesus als seine Arbeiter berufen wurden und die so viel Leiden und sogar den Tod um seines Namens willen erduldet haben.

KAPITEL 28

Die anvertrauten Pfunde

Lukas 19,11-27

Der Hintergrund

Dem Gleichnis von den zehn Pfunden geht der Bericht von der Bekehrung des Zachäus in Jericho voraus, der *„war ein Oberzöllner und war reich"* (Lk 19,2). Zachäus hatte einen Vertrag mit der römischen Regierung, Steuern in seinem Gebiet einzutreiben. Es gab eine Reihe von Zöllnern, die unter ihm arbeiteten. Er war ein Mann mit großem Einfluss im römischen System, und durch seine Stellung war er reich geworden. Doch die Juden verachteten ihn, da sie ihn als Werkzeug der verhassten römischen Regierung ansahen und ihn zu den niedrigsten Sündern rechneten.

Zachäus hatte schon von Jesus gehört; und als der nach Jericho kam, machte Zachäus ihn ausfindig. Er musste auf die unteren Äste eines Maulbeerfeigenbaums klettern, um über die Menge hinwegblicken zu können. Jesus wusste, warum Zachäus ihn sehen wollte, und er rief ihn von seinem Beobachtungsposten herunter. Der Herr erbat daraufhin Gastfreundschaft von Zachäus, die dieser ihm hocherfreut gewährte. Nachdem sie in Zachäus' Haus gegangen waren, sagte er: *„Siehe, Herr, die Hälfte meiner Güter gebe ich den Armen, und wenn ich von jemand etwas durch falsche Anklage genommen habe, so erstatte ich es vierfach"* (Lk 19,8). Dadurch zeigte Zachäus die Früchte seiner Buße. Solche Früchte konnten nur von dem Glauben an Jesus stammen. Zachäus zeigte damit, dass er die Anforderungen für den Eingang in das Reich Gottes erfüllte, so wie sie Johannes der Täufer und später Jesus verkündigt hatten. Jesus nahm diese Werke von Zachäus als Bestätigung seines Glaubens an und erklärte: *„Heute ist diesem Haus Heil widerfahren, weil auch er* *ein Sohn Abrahams ist*" (V. 9). Gott hatte einen Bund mit Abraham geschlossen, der den leiblichen Nachkommen des Patriarchen Segnungen verhieß. Da Zachäus ein leiblicher Nachkomme Abrahams war, war er berechtigt, diese Segnungen zu empfangen. Jesus erklärte, warum er Menschen mit solch schlechtem Ruf gerne annimmt: „*Der Sohn des Menschen ist gekommen, zu suchen und zu retten, was verloren ist*" (V. 10).

Das Problem

Rom forderte Treue seitens der Zöllner. Dass Zachäus Zöllner blieb, war ein Zeichen seiner Treue gegenüber Rom bei der Ausübung seines Amtes. Da die Jünger verstanden, dass Rom eine Verpflichtung von Leuten wie Zachäus forderte, stellte sich natürlich die Frage, was Jesus von denen erwartete, die ihm gegenüber eine Verpflichtung eingegangen waren.

Die Lösung

Um diese Frage zu beantworten, erzählte Jesus das Gleichnis von den zehn anvertrauten Pfunden. Es war besonders wichtig, dass die Jünger verstanden, was von ihnen im Hinblick auf den Aufschub des davidischen Reiches erwartet wurde. Jesus wusste, dass „*sie meinten, dass das Reich Gottes sogleich erscheinen sollte*" (Lk 19,11). Um die Tatsache hervorzuheben, dass sich das Anbrechen des Reiches verzögert, sagte Jesus: „*Ein hochgeborener Mann zog in ein fernes Land, um ein Reich für sich zu empfangen und wiederzukommen*" (V. 12). In der Geschichte könnte Jesus ein historisches Ereignis im Sinn gehabt haben: Archelaus, der Sohn von Herodes dem Großen, war nach dem Tod seines Vaters nach Rom gegangen, um sich als Herrscher in Judäa und Samaria bestätigen zu lassen. Sein Bruder Antipas war ebenfalls mit der Absicht nach Rom gegangen, diese Ernennung zu erhalten. Da die Juden Archelaus hassten, hatten sie eine Protestschrift beim Imperator gegen seine

Ernennung eingereicht; doch trotz des Protests wurde Archelaus zum Herrscher über Judäa und Samaria ernannt. Dieses bekannte historische Ereignis muss großes Interesse seitens der Zuhörer für Jesu Lehre hervorgerufen haben. Da der *„hochgeborene Mann"* eine längere Abwesenheit erwartete, rief er zehn seiner Knechte und gab jedem von ihnen ein Pfund. Ein Pfund war der Lohn für ungefähr drei Monate, also eine beträchtliche Summe. Die Knechte wurden beauftragt, als Verwalter für die Verwendung des anvertrauten Geldes zu sorgen. Während der Abwesenheit des Dienstherrn wurde von seinen Untertanen eine Protestschrift gegen seine Ernennung bei dem eingereicht, der ihn Kraft seiner Autorität als König bestätigen sollte. Diese Ablehnung des Dienstherrn stellt die Loyalität und Treue seiner Verwalter, denen er die Verantwortung über die Verwaltung übertragen hatte, auf die Probe.

In diesem Teil des Gleichnisses verglich Jesus sich selbst mit dem hochgestellten Mann, der in ein fernes Land gegangen war. Jesus kehrte zu seinem Vater zurück, weil sein Messiasanspruch und sein Reich abgelehnt wurden. Während dieser Abwesenheit übertrug er seinen Knechten Verantwortung. Trotz fortgesetzter Gegnerschaft ihm gegenüber erwartete er von seinen Knechten Loyalität und Treue.

Der König im Gleichnis Jesu kehrte nach seiner Bestätigung ungeachtet der Einwände derer zurück, über die er herrschen würde. Die Knechte wurden herbeigerufen, um einen Rechenschaftsbericht über ihre Verwaltung abzulegen. Manche der Knechte wurden als treu befunden. Das Pfund des einen hatte zehn Pfund Gewinn eingebracht, das eines anderen fünf. Der König setzte die Treuen in Stellungen mit Verwaltungsautorität in seinem Reich ein (vgl. Mt 19,28-30).

Im Gegensatz dazu gab es einen Knecht, der als treulos befunden wurde. Das Pfund dieses Knechts war nicht zum Nutzen des Dienstherrn verwendet worden; es war tatsächlich gar nichts damit unternommen worden. Der Knecht konnte seinem Herrn nur das eine Pfund wieder zurückgeben mit dem Eingeständnis, aus Angst so gehandelt zu haben. Zweifellos hatte sich dieser Knecht der Opposition gegen seinen Diensthernn als König angeschlossen. Diese Ablehnung hatte zur Untreue geführt und zu dem Versäumnis, mit dem anvertrauten Pfund Gewinn zu erwirtschaften. So wurde dem Verwalter sein Pfund entzogen und jemandem anvertraut, der sich als treu erwiesen hatte. Die Schwere des Urteils kann man an dem Befehl des Königs ablesen: *„Doch jene meine Feinde, die nicht wollten, dass ich über sie König würde, bringt her und erschlagt sie vor mir"* (Lk 19,27). Die Untreuen wurden aus dem Reich entfernt, über das der König herrschte. In diesem Teil des Gleichnisses sah Jesus das Volk Israel als seine Verwalter an. Sie waren ursprünglich von Gott zu besonderem Dienst erwählt worden (2Mo 19,6). Als ein Königreich von Priestern sollten sie Offenbarung von Gott erhalten und sie denen verkünden, die in geistlicher Finsternis waren. Mose war befohlen worden, einen Leuchter in das Heilige im Zelt der Begegnung zu stellen, und zwar als ständige Erinnerung daran, dass Gott Israel dazu erwählt hatte, für die Welt zu leuchten. Gott hatte verheißen, einen König aus Davids Abstammungslinie kommen zu lassen, der über sein Volk herrscht (2Sam 7,16); und die Propheten hatten das Kommen dieses Königs erwartet. Als Jesus kam und von Johannes als dieser König vorgestellt wurde, wollte das Volk ihn willkommen heißen. Doch als Jesus seinen Dienst ausführte und die Anforderungen für den Eingang in sein Reich formulierte (Mt 5,48), wendeten sie sich von ihm ab; und die Führer des Volkes machten aus ihrer Ablehnung ihm gegenüber keinen Hehl (12,24). Gott hatte sich selbst durch das Gesetz offenbart und durch die Propheten, und diese Offenbarung war ein wertvolles Gut, für dessen Verwaltung das Volk verantwortlich war. Weil es Jesus ablehnte, kehrte er zum Vater zurück, um von ihm als König bestätigt zu werden. Die Worte, mit denen der Vater den Sohn nach seiner Auferstehung in der Herrlichkeit willkommen hieß, stehen in Psalm 110,1-2: „*Spruch des HERRN für meinen Herrn: Setze dich zu meiner Rechten, bis ich deine Feinde gemacht habe zum Schemel deiner Füße! Den Stab deiner Macht wird der HERR aus Zion ausstrecken. Herrsche inmitten deiner Feinde.*" Während der Abwesenheit Jesu wurde seinen Jüngern in Erwartung ihrer Loyalität und Treue eine Verwalterschaft anvertraut. Wenn der König zurückkehrt, um seine Herrschaft auszuüben, werden die Verwalter geprüft. Die Treuen werden in das Reich des Königs aufgenommen, und die Untreuen werden zurückgewiesen. Treue entspringt dem Glauben an die Person des Königs, und Untreue ist das Ergebnis der Zurückweisung des Königs.

So beantwortete Jesus die Frage, was von den Jüngern erwartet wird: Sie sollen loyal und treu sein.

KAPITEL 29

Die ungleichen Söhne

Matthäus 21,28-32

Der Hintergrund

Der vorausgehende Abschnitt bezieht sich auf eine Begebenheit, als Jesus auf das Tempelgelände ging und von den Priestern und Ältesten herausgefordert wurde (Mt 21,23-27). Es ging um die Autorität, mit der er die Rolle des Messias eingenommen und sich selbst beim triumphalen Einzug und beim Reinigen des Tempels als Messias dargestellt hatte. Da diese Handlungen ganz deutlich eine Erfüllung messianischer Prophetie waren, fragten die Führer nach Jesu Recht dazu. Jesus erwiderte mit einer Gegenfrage bezüglich des Dienstes von Johannes, den das einfache Volk für einen von Gott gesandten Propheten hielt. Die Schlussfolgerung daraus war, dass Jesus dieselbe Autorität wie Johannes besaß. Die religiösen Führer trauten sich nicht zu antworten: entweder würden sie das Volk gegen sich aufbringen, das Johannes für einen Propheten hielt; oder sie würden sich selbst der Autorität von Johannes und Jesus unterwerfen müssen, was sie aber nicht wollten. Johannes verlangte, dass die Menschen bekannten, dass sie Sünder waren und Rettung benötigten. Im Gegensatz dazu hielten die religiösen Führer daran fest, dass sie gerecht waren und der Buße nicht bedurften; und sie sahen sich selbst als Söhne des Reiches.

Das Problem

Aus diesem Konflikt mit den Pharisäern über die Ansprüche Jesu ergaben sich zwei Fragen: Wer ist ein Sohn des Reiches? Wie kann Sohnschaft nachgewiesen werden? Das waren zentrale

Fragen, denn ihre Beantwortung würde zeigen, ob die Anhänger der pharisäischen Tradition von Gott angenommen waren oder nicht.

Die Lösung

Jesus erzählte von einem Mann, der zwei Söhne hatte. Wie es sein Recht war, trug der Vater dem ersten Sohn auf, in den Weinberg zu gehen und dort zu arbeiten. Der Sohn weigerte sich ausdrücklich, indem er sagte: „*Ich will nicht*" (Mt 21,29a). Durch diese Weigerung rebellierte er gegen die rechtmäßige Autorität des Vaters. In dem Gleichnis ergänzte Jesus: „*Danach aber gereute es ihn, und er ging hin*" (V. 29b). Nun ordnete sich der Sohn doch noch der Autorität seines Vaters unter. Trotz seiner klaren Worte, die die Autorität seines Vaters ignorierten, zeigte er durch seinen Akt des Gehorsams Unterordnung. Später trug der Vater seinem zweiten Sohn auf, auch in den Weinberg zu gehen und zusammen mit dem ersten Sohn zu arbeiten; dieser hatte dem Vater ja Gehorsam erwiesen. Der zweite Sohn sagte: „*Ich gehe, Herr*" (V. 30). Durch seine Worte gab er vor, die Autorität des Vaters anzuerkennen, aber „*er ging nicht*". Trotz seiner Beteuerung lehnte er es ab, sich seinem Vater unterzuordnen. Jesus fragte daraufhin: „*Wer von den beiden hat den Willen des Vaters getan?*" (V. 31). Die einzig logische Antwort, die die jüdischen Führer geben konnten, war: „*Der erste*". So zeigte Jesus in dem Gleichnis, dass eine Gehorsamsbeteuerung noch keine Sohnschaft ist. Sohnschaft zeigt sich durch Gehorsam, nicht durch bloße Worte. So konnten die Pharisäer ihrem Anspruch, Söhne Gottes zu sein, nicht gerecht werden, da sie dem Gesetz nicht gehorchten und seine Gerechtigkeit nicht erfüllten. Doch wer sich der Autorität des Gesetzes unterwarf und ihm gehorchte, der war ein Sohn. Diese Prüfung schloss die jüdischen Führer, die Jesus herausforderten, von dem Eingang in sein Reich aus. Diese Führer würden niemals akzeptieren, dass Zöllner und

Prostituierte in dieses Reich eingehen konnten geschweige denn, dass sie schon drinnen waren. Doch Jesus bestätigte, dass diejenigen, die Johannes' Botschaft im Glauben angenommen hatten, für Gott annehmbar und tatsächlich im Reich waren. So widerlegte Jesus die Behauptung der jüdischen Führer, dass sie keine Buße brauchten, weil sie bereits Söhne des Reiches seien.

KAPITEL 30

Die Weingärtner

Matthäus 21,33-44

Der Hintergrund

Mit den Worten *„Hört ein anderes Gleichnis"* (Mt 21,33) zeigt Jesus, dass er die Lehre fortsetzt, die im Gleichnis von den zwei Söhnen bezüglich der Pharisäer und ihrer Beziehung zu seinem Reich enthalten war.

Das Problem

Da das Volk Israel unter der Führung seiner religiösen Autoritäten Jesus ablehnte, stellten sich zwei Fragen: Was würde mit diesem Volk geschehen? Wie würde es mit dem Reich angesichts dieser Ablehnung weitergehen?

Die Lösung

Der Hintergrund dieses Gleichnisses findet sich in Jesaja 5, wo der Prophet einen Weinberg beschreibt, der *„auf einem fetten Hügel"* (V. 1) gepflanzt worden war und der gute Aussichten bot, eine reiche Ernte einzubringen. Der den Weinberg angelegt hatte, hatte den Boden sorgfältig vorbereitet, um den Weinstock einzupflanzen. Er *„grub ihn um und säuberte ihn von Steinen"* (V. 2), um jedes Hindernis für das Wachstum der Pflanze zu beseitigen. Ein Wachturm zur Bewachung wurde gebaut, und eine Weinpresse wurde in Erwartung der Ernte aufgestellt. Doch als die Zeit der Ernte kam, brachte der Wein nur *„schlechte [wörtlich: faule oder stinkende] Beeren"* (V. 2). Das war ganz offensichtlich ein Gleichnis, und Jesaja fährt nun mit der Erklärung fort. Gott hatte den Weinberg gepflanzt, und das Volk Israel war sein erwählter Weinstock.

Er hatte das Volk aus der Wüste heraus in ein gutes Land geholt. Er hatte es im Land beschützt und erwartet, dass es gute Frucht bringen würde. Die Art von Frucht, die Gott sah, wird in Vers 7 erläutert: *„Und er wartete auf Rechtsspruch, und siehe da: Rechtsbruch; auf Gerechtigkeit, und siehe da: Geschrei über Schlechtigkeit [oder Rebellion].“* Folglich hatte das Volk Israel nicht rechtschaffen und gerecht vor Gott gelebt. In seinem Gleichnis verwendete Jesus dasselbe Bild wie Jesaja. Jesus blickte auf die Geschichte des Volkes zurück. Es war in ein gutes Land eingesetzt worden. Gott hatte ihm Schutz geboten, indem er ihm das Gesetz gab, und er erwartete die Frucht der Gerechtigkeit. Der Weinberg wurde dann an Winzer verpachtet, die dafür verantwortlich waren, den Weinstock zu veredeln, zu beschneiden und zu pflegen, damit er eine reiche Ernte hervorbrächte. Die Winzer waren ein Bild für die Führer des Volkes, die in den vergangenen Generationen die Autorität über das Volk ausgeübt hatten.

Jesus sagte, dass zur Zeit der Ernte Knechte gesandt wurden, um die Frucht zu ernten. Diese Knechte standen für die Propheten, die Gott während der Geschichte Israels gesandt hatte, um sein Volk zur Buße und zum Gehorsam zu rufen und es zu ermahnen, Gerechtigkeit zu zeigen. Doch diejenigen, die Autorität über den Weinberg hatten, lehnten diese Knechte ab. Einen *„schlugen sie, einen anderen töteten sie, einen anderen steinigten sie“* (Mt 21,35). In einer außergewöhnlichen Demonstration von Geduld entließ der Eigentümer die Winzer nicht, sondern schickte stattdessen weitere Knechte, um die Frucht der Ernte zu erhalten. Doch die Winzer reagierten auf diese Knechte auf dieselbe Weise. So zeigte Jesus, wie Israel Gottes Propheten behandelt hatte. Anstatt die Verantwortlichen dem Gericht zu übergeben, bot der Eigentümer ihnen in einem Erweis seiner Barmherzigkeit eine weitere Möglichkeit, Frucht zu bringen. Dieses Mal sandte er seinen Sohn zu ihnen und sagte: *„Sie werden sich vor meinem Sohn scheuen“* (V.

37). In diesem Gleichnis ist der Sohn ein deutlicher Hinweis auf Jesus selbst. So offenbarte Jesus, dass er gekommen war, um das zu tun, was die Propheten in den vorhergehenden Generationen zu tun versucht hatten. Jesus kam, um das Volk zur Buße zu rufen, um Gehorsam zu wecken und im Volk Gerechtigkeit hervorzubringen, damit es Gott gefiele. Doch die Führer des Volkes verschworen sich, den Sohn umzubringen. Sie lehnten das Herrschaftsrecht des Eigentümers ab und beanspruchten diese Autorität für sich selbst. Jesus erwartete also seine endgültige Ablehnung und seinen Tod. Der Herr fragte: *„... was wird er [der Eigentümer] jenen Weingärtnern tun?"* (Mt 21,40). Die einzige logische Antwort darauf war, dass der Eigentümer seine Autorität ausüben und diejenigen entfernen würde, die die Verantwortung missbraucht hatten, die ihnen anvertraut worden war. Der Eigentümer würde andere Aufseher ernennen, die die Ernte einbringen würden, die rechtmäßig ihm gehörte (V. 41). Diejenigen, die diese Antwort gaben, sprachen damit über sich selbst das Urteil. Sie erkannten nicht, dass das Gleichnis sie betraf und zeigten damit, dass sie zu Recht aus der Stellung als Führer des Volkes entfernt werden würden. Jesus zeigte mit einem Bezug auf Psalm 118,22-23, dass diese Zurückweisung schon in den prophetischen Schriften angekündigt worden war.

Jesus offenbarte daraufhin das Gericht, das über diese Generation und ihre Führer kommen würde, die jede Ermahnung durch die Propheten zurückgewiesen hatten und nun nicht nur die Ermahnung Jesu zurückwiesen, sondern im Begriff waren, ihn zu töten. Jesus sagte: *„Das Reich Gottes wird von euch weggenommen und einer Nation gegeben werden, die seine Früchte bringen wird"* (Mt 21,43). Bevor die Gottesherrschaft angekündigt worden war, die durch einen davidischen Nachkommen verwaltet werden sollte (2Sam 7,16), hatte es im Alten Testament verschiedene Arten der Herrschaft Gottes über sein Volk gegeben. Nun offenbarte Jesus, dass die Gottesherrschaft, die als Tausendjähriges Reich den Juden angeboten worden war, einer Nation gegeben würde, die die erwartete Frucht bringen wird. Die Identität von *„einer Nation"* in Matthäus 21,43 wurde verschieden ausgelegt. Manche haben das als einen Hinweis darauf gesehen, dass die Gottesherrschaft einer zukünftigen Generation des Volkes Israel gegeben werden wird. Das würde dann während der Drangsalszeit vor dem zweiten Kommen Jesu stattfinden; zu dieser Zeit wird das Evangelium des Reiches wieder gepredigt werden (Mt 24,14). Andere sehen *„eine Nation"* als Hinweis auf die Gläubigen aus den Heiden, also auf diejenigen, durch die Gott während der Zeit wirkt, in der Israel verworfen ist. Das stünde im Einklang mit der Aussage des Jakobus beim Jerusalemer Konzil: *„Ihr Brüder, hört mich! Simon hat erzählt, wie Gott zuerst darauf gesehen hat, aus den Nationen ein Volk zu nehmen für seinen Namen"* (Apg 15,13-14). Das wurde zur Grundlage für die Lehre des Paulus (Eph 2–3). Die Trennwand zwischen Juden und Heiden wurde eingerissen, und aus beiden hat Gott *ein* Volk für seinen Namen gemacht. Bei beiden Auslegungen wird deutlich, dass Gott die Vorrechte zurückgezogen hat, die dieser Generation von Juden als Bundesvolk und als Erben des verheißenen Reiches angeboten worden waren. Als Jesus sagte: *„... aber auf wen er [dieser Stein] fallen wird, den wird er zermalmen"* (Mt 21,44), erwartete er das kommende Gericht über diese Generation, das sich durch die Invasion unter Titus im Jahr 70 n. Chr. vollziehen würde. Die Alternative zu solch einem Gericht wird in dem Satz gezeigt: *„Und wer auf diesen Stein fällt"*, das bedeutet: Wer sich selbst im Glauben auf Jesus wirft, wird dem Gericht entfliehen und im Reich Gottes willkommen sein.

Sowohl die Hohenpriester als auch die Pharisäer verstanden das Gleichnis. Sie erkannten nun, dass Jesus über sie als die Winzer des Weinbergs sprach, die er als treulos erachtet und über die er dieses schwere Urteil gefällt hatte. Als spontane Reaktion darauf wollten sie Jesus gefangen nehmen und töten. Doch sie fürchteten sich davor, weil das Volk ihn für einen Propheten Gottes hielt.

KAPITEL 31

Das Hochzeitsmahl

Matthäus 22,1-14

Der Hintergrund

Während dieser Zeit seines Dienstes wurde Jesus mit Zurückweisung konfrontiert, obwohl er dem Volk das Reich Gottes angeboten und dieses Angebot durch seine Worte und Taten angemessen beglaubigt hatte. Die Führer beeinflussten das Volk, Jesus und sein Reich abzulehnen. Als Konsequenz daraus sprach Jesus nicht länger öffentlich davon, sondern kündigte einen Aufschub des Reiches an und sprach von dem ernsten Urteil, das das Volk treffen sollte.

Das Problem

Es blieb die Frage, was mit der Generation geschehen würde, die Jesus schuldhaft zurückgewiesen hatte. Eine andere Frage lautete: Wer wird in das Reich eingehen, das einmal errichtet wird?

Die Lösung

Jesus hatte sich schon zuvor solchen Fragen gewidmet (Mt 21,33-45). Mit dem Gleichnis des Königs, der ein Hochzeitsmahl vorbereitete, gab er nun erneut eine Antwort. Jesus gebrauchte bekannte orientalische Hochzeitsbräuche, um eine wichtige Lektion zu lehren. Zur Zeit der Verlobung wurde an die Freunde des Bräutigams eine Ankündigung versandt, um sie über die bevorstehende Hochzeit zu informieren. Die Freunde wurden eingeladen, an dem darauffolgenden Hochzeitsmahl teilzunehmen. Üblicherweise vergingen zwölf Monate zwischen Verlobung und Hochzeit; deshalb hatten die geladenen Gäste reichlich Gelegenheit, sich auf das Hochzeitsmahl vorzubereiten. In seinem Gleichnis begann Jesus die Geschichte damit, dass der König, der Vater des Bräutigams, *„seine Knechte aus[sandte], um die Eingeladenen zur Hochzeit zu rufen"* (Mt 22,3). Dies wäre dann die zweite Einladung gewesen, da die erste bereits zur Zeit der Verlobung ergangen war. So wurde sie also denen zugesandt, die zuvor schon eingeladen worden waren. Diese zweite Einladung kündigte das Datum für die Hochzeit und das Hochzeitsmahl an. Von den Gästen wurde erwartet, dass sie an dem Hochzeitsmahl teilnahmen. In der Gleichnissymbolik Jesu sind diejenigen, die eingeladen waren, das Bundesvolk Gottes. Diesem Volk war der Messias verheißen, der das Reich des Friedens und der Gerechtigkeit errichten würde. Daran sollte dieses Volk teilhaben dürfen. Die Antwort der Gäste auf diese zweite Einladung war völlig unerwartet, denn *„sie wollten nicht kommen"* (V. 3).

Die Güte des Gastgebers lässt sich an der Tatsache ablesen, dass er die Möglichkeit erwog, die geladenen Gäste hätten möglicherweise die Dringlichkeit der zweiten Einladung nicht verstanden. Der Gastgeber sandte freundlicherweise weitere Knechte, um die geladenen Gäste darüber zu informieren, dass das Festessen vorbereitet war. Die Knechte stellten das Hochzeitsmahl tatsächlich überaus einladend dar, indem sie den geladenen Gästen sagten, dass ein üppiges Mahl mit Ochsen und Mastvieh sie erwartete. Die Knechte drängten und baten: *„Kommt zur Hochzeit!"* (V. 4). Es war wirklich freundlich vom Gastgeber, jede Anstrengung zu unternehmen, um die Geladenen zur Teilnahme an dem Mahl zu bewegen, denn angesichts der Ablehnung hatte er eigentlich keine Verpflichtung mehr ihnen gegenüber. In diesem Teil des Gleichnisses erinnerte Jesus seine Zuhörer, dass Gott durch die Propheten gesprochen und das Volk eingeladen hatte, sich auf den Eingang in das Reich vorzubereiten. Als Johannes der Täufer seinen Dienst begann, kündigte er an, dass das Reich nahe war. Jesus hatte die

Ankündigung von Johannes wiederholt und drängte die Geladenen, zum Mahl zu kommen, das heißt, in das verheißene Reich einzugehen. Doch Israel als Volk weigerte sich.

Das Gleichnis nennt Gründe dafür, dass Israel nicht auf die Einladung reagiert hat. Die geladenen Gäste waren mit ihren eigenen Angelegenheiten beschäftigt. Ein Gast zum Beispiel hatte auf seinem Feld zu tun. Er arbeitete gerade daran, seinen eigenen Reichtum zu vergrößern und lehnte die Einladung ab, um eine gute Ernte sicherzustellen. Ein anderer widmete sich in gleicher Weise seinen Geschäften. Er wollte sie nicht unterbrechen, um an dem Hochzeitsmahl teilzunehmen, weil er sonst vielleicht Verluste erlitt. So sehen wir, dass die Beschäftigung mit materiellen Dingen diese Menschen davon abhielt, der Einladung zum Mahl nachzukommen. Manche der Geladenen wurden sogar gewalttätig, um weiteres Drängen zu unterbinden; sie misshandelten und töteten die Knechte, durch die sie gebeten wurden, zu kommen. In diesem Teil des Gleichnisses bezog sich Jesus auf den Tod von Johannes und auf seinen eigenen bevorstehenden Tod als Anzeichen dafür, dass Israel das Reich ablehnte, das er anbot.

Das Gleichnis berichtet im Folgenden von der Reaktion des Königs auf die Ablehnung. Die erste Konsequenz war: Der König *„sandte seine Truppen aus, brachte jene Mörder um und steckte ihre Stadt in Brand“* (Mt 22,7). Er erkannte, dass die Ablehnung der Einladung eine Ablehnung seiner selbst und eine Missachtung seiner Person war. Deshalb verhängte er ein schweres Urteil über sie. So wurden nicht nur die Aufständischen vernichtet, auch ihre Stadt wurde niedergebrannt. Dieses göttliche Gericht ereignete sich im Jahr 70 n. Chr., als Titus Jerusalem zerstörte und bei seiner Eroberung 1,5 Millionen Einwohner des Landes tötete.

Doch eine zweite Konsequenz der Ablehnung Jesu durch diese Generation der Juden war, dass eine neue Einladung erging. Es war für den Gastgeber undenkbar, dass es leere Plätze bei dem

Hochzeitsmahl gab. Deshalb wurde den Knechten befohlen: *„So geht nun hin auf die Kreuzwege der Landstraßen, und so viele immer ihr finden werdet, ladet zur Hochzeit ein“* (V. 9). Offensichtlich wies Jesus darauf hin, dass eine erneute Einladung an die Menschen in diesem Volk ergehen wird, um in die neue Form der Gottesherrschaft einzugehen, die nach seinem Tod und seiner Auferstehung in Kraft treten sollte. In der Apostelgeschichte ist nachzulesen, dass in dem Jahrzehnt nach dem Tod Jesu die Botschaft des Evangeliums hauptsächlich unter den Juden verbreitet wurde. Den Aposteln war aufgetragen worden, Zeugen für Jesus zu sein, zuerst in Jerusalem und Judäa, wo Juden lebten (Apg 1,8). Das Gleichnis zeigt, dass durch diese Einladung *„der Hochzeitssaal … voll von Gästen“* wurde (Mt 22,10). Auch das scheint darauf hinzuweisen, dass die Botschaft auch in der Zukunft erneut dem Volk verkündet werden wird, das die Einladung anfangs abgelehnt hat. Durch die Predigt des *„Evangelium[s] des Reiches“* (24,14) wird das Volk erneut eingeladen, in das Tausendjährige Reich einzugehen. Diese Einladung wird während der sieben Jahre der Drangsal, die der Entrückung folgen und vor der zweiten Wiederkunft Christi auf Erden stattfinden, an Israel ergehen.

Als Jesus dieses Gleichnis beendet hatte, lehrte er erneut, dass nur diejenigen, die vorbereitet sind, in das zukünftige Reich eingehen werden. Er sagte, dass sich der König beim Eintreffen zum Hochzeitsmahl einen Überblick über die Gäste verschaffte; dann *„sah er dort einen Menschen, der nicht mit einem Hochzeitskleid bekleidet war“* (22,11). Der Mann war nicht darauf vorbereitet, an dem Hochzeitsmahl teilzunehmen. Da die Einladung eine beträchtliche Zeit vor dem Hochzeitsmahl ergangen war, hätte der Mann reichlich Gelegenheit gehabt, sich die passende Kleidung zu beschaffen. Dieser Gast wollte an den Freuden des Mahles teilhaben, doch er kam unvorbereitet. Als er deswegen zur Rede gestellt wurde, konnte er keine Antwort geben. Er kannte die

Erwartung des Gastgebers. Er hatte Gelegenheit gehabt, sich angemessene Kleidung zu beschaffen, doch er hatte es nicht getan. Vielleicht dachte er, der Gastgeber würde sich allein durch seine Teilnahme geehrt fühlen, obwohl er unvorbereitet war. Er mag gedacht haben, die Kleider, die er bereits trug, seien ausreichend für die Hochzeit. Doch der Gastgeber kam zu einem anderen Urteil und befahl: „*Bindet ihm Füße und Hände, und werft ihn hinaus in die äußere Finsternis; da wird das Weinen und das Zähneknirschen sein*" (V. 13). Jesus sprach hier wieder diejenigen an, die sich selbst für gerecht und annehmbar für Gott hielten und die sich selbst als Mitglieder seines Reiches sahen. Jesus offenbarte ihnen, dass sie ohne Vorbereitung unannehmbar für den Gastgeber seien und bei der Errichtung des Reiches daraus ausgeschlossen würden. Jesu abschließendes Wort lautete: „*Denn viele sind Berufene, wenige aber Auserwählte*" (V. 14); damit stellte er fest, dass nicht alle, die eingeladen wurden, an dem Reich teilhaben werden. Jesus lehrte, dass es nicht ausreicht, nur ein Mitglied des Bundesvolkes zu sein; nicht alle Israeliten, die mit Abraham blutsverwandt sind, werden in das Tausendjährige Reich eingehen. Vielmehr werden nur diejenigen ihren Anteil am messianischen Reich haben, die die Einladung hören und sich daraufhin vorbereiten.

KAPITEL 32

Der Feigenbaum

Matthäus 24,32-34

Der Hintergrund

Nachdem er die Weherufe über die Pharisäer ausgesprochen hatte, kündigte Jesus erneut das kommende Gericht über Jerusalem an (Mt 23,37-39). Als Antwort auf die Bestürzung der Jünger hatte er erklärt: *„Hier wird nicht ein Stein auf dem anderen gelassen werden, der nicht abgebrochen werden wird"* (24,2). Ohne die Stadt Jerusalem und den Tempel konnte es kein nationales Leben für Israel geben. Die Aufmerksamkeit der jüdischen Hörer des Herrn muss auf die Prophezeiung in Sacharja 12,1–14,3 gelenkt worden sein, die die Zerstörung Jerusalems durch heidnische Mächte voraussagt. Das soll geschehen, bevor der Messias auf die Erde kommt, um sein Tausendjähriges Reich aufzurichten (14,4). Wenn dem so ist, würde das den Anlass für die Frage der Jünger erklären: *„Sage uns, wann wird das sein, und was ist das Zeichen deiner Ankunft und der Vollendung des Zeitalters?"* (Mt 24,3). Die Jünger interessierten sich für die Zeichen, die sich in den sieben Jahren der Drangsal ereignen sollen, für die Zeichen, die Israel bezüglich des kommenden Messias und seines messianischen Reiches erwartet, und für den Beginn des neuen Zeitalters, das durch den Messias bei seinem Kommen anbrechen soll. Als Antwort umriss Jesus die Zeichen während der siebenjährigen Drangsal, die dem zweiten Kommen Jesu vorangehen (Mt 24,4-26; vgl. Dan 9,24-27). Der Herr bezog sich zuerst auf die Zeichen in der ersten Hälfte der Drangsal (Mt 24,4-8). Er sagte: *„Alles dies aber ist der Anfang der Wehen"* (V. 8). Dann sprach er von Zeichen, die in der zweiten Hälfte der Drangsal auftreten werden (V. 9-14).

Jesus beschrieb auch das wichtigste Zeichen, das dem Volk gegeben wird, und zwar *„den Gräuel der Verwüstung, von dem durch Daniel, den Propheten, geredet ist“* (V. 15).

In den Versen 26-30 beschrieb Jesus *„die Ankunft des Sohnes des Menschen“*; und er warnte das Volk, dass er das zweite Mal als Richter kommen wird, so wie die Aasgeier sich auf einem Kadaver versammeln. Er warnte das Volk vor diesem zweiten Kommen, damit es sich darauf vorbereitet, wenn er *„mit großer Macht und Herrlichkeit“* (V. 30) kommt.

Nach dem zweiten Kommen Jesu wird das Volk Israel, das hier als *„seine Auserwählten“* bezeichnet wird – weil er sie erwählt hat und einen Bund mit ihnen eingegangen ist –, wieder *„von dem einen Ende der Himmel bis zu ihrem anderen Ende“* (V. 31) versammelt werden.

Das Problem

Zwei Hauptfragen werden sich diejenigen gestellt haben, die die Einzelheiten dieser Darlegung hörten: Was bedeuten diese Zeichen? Wie sollte die Reaktion derer sein, die diese Zeichen sehen werden?

Die Lösung

Um diese wichtigen Fragen zu beantworten, zog Jesus ein Bild aus der Natur heran. Matthäus zitiert ihn mit den Worten: *„Von dem Feigenbaum aber lernt das Gleichnis“* (V. 32). Lukas erweiterte das Bild, indem er ihn mit den Worten: *„Seht den Feigenbaum und alle Bäume“* (Lk 21,29) zitierte. Daher machte Jesus nicht nur auf den Feigenbaum selbst aufmerksam (als ob der Feigenbaum nur das Volk Israel repräsentiere, wie recht häufig geschlossen wird). Vielmehr lenkte Jesus die Aufmerksamkeit auf eine Wahrheit, die durch etwas veranschaulicht wird, was alle Bäume kennzeichnet. Es gibt also ein allgemeines Prinzip, von dem Jesus wollte, dass seine Zuhörer es beachteten. Während der Wintermonate waren die Bäume kahl. Menschen, die den langen, feuchtkalten Winter überstanden haben, freuen sich auf den Sommer. Wenn sie auf einem Weg gehen, werden sie den ersten zartgrünen Trieb an einem Feigenbaum oder irgendeinem anderen Baum sehen. Dieser grüne Trieb ist für sie ein Zeichen, dass das, wonach sie sich sehnen und wovon sie wissen, dass es letztlich kommen wird, nicht mehr fern ist. Ein Prozess hat eingesetzt, der unweigerlich zum Sommer führen wird. Dieses universale Prinzip wurde von Jesus angewandt, als er sagte: *„So sollt auch ihr, wenn ihr dies alles seht, erkennen, dass es [oder besser: er] nahe an der Tür ist"* (Mt 24,33). Mit *„dies alles"* bezog sich Jesus auf all die Zeichen, die in den Versen 4-26 stehen. Jesus sagte, dass das Erscheinen der ersten Zeichen Israel als Hinweis dienen sollte, dass der Messias kommen wird, so wie der erste grüne Trieb nach einem langen Winter ein Hinweis auf den Frühling ist. Jesus ergänzte: *„Dieses Geschlecht wird nicht vergehen, bis dies alles geschehen ist"* (V. 34). Mit *„Dieses Geschlecht"* meinte Jesus die Generation, die die Zeichen sehen würde, die in den Versen 4-26 beschrieben sind. Dieselben Zeichen werden detaillierter in Offenbarung 4–19 behandelt. Diese Zeichen fallen alle in die siebzigste Jahrwoche Daniels (Dan 9,27) und werden folglich innerhalb einer Zeitspanne von sieben Jahren erfüllt werden. Da vom Auftreten der ersten Zeichen bis zur Vollendung so wenig Zeit vergeht, werden diejenigen, die den Anfang sehen, auch den Abschluss erleben. Sie sind diejenigen, auf die in Vers 34 Bezug genommen wird.

Es ist eine falsche Auslegung dieses Gleichnisses, wenn man darauf besteht, dass der Feigenbaum das Volk Israel darstellt und seine Knospen die Wiedereinsetzung des nationalen Lebens dieses Volkes im Jahr 1948 sind. Ebenso falsch ist es zu folgern, dass das zweite Kommen innerhalb einer Generation nach 1948 stattfinden muss. Wenngleich das einmal eine weitverbreitete Ansicht war, gründete sie jedoch nicht auf einer soliden Auslegung dieses Abschnitts. Diese Sicht würde das Gleichnis auch auf die Gemeinde anwendbar machen, als ob die Zeichen ihr gegeben worden wären. Doch diese Zeichen wurden Israel gegeben und sind auch nur auf dieses Volk anwendbar.

KAPITEL 33

Der Türhüter

Markus 13,33-37

Der Hintergrund

Im Licht der Verheißung seines Kommens, das er in der Endzeitrede vorausgesagt hat, ermahnte der Herr zur Wachsamkeit. Er gebot: *„Seht zu, wacht!“* (Mk 13,33).

Das Problem

Daraufhin stellte sich die Frage: Warum soll man wachsam sein?

Die Lösung

Das Eintreffen der Zeichen, die dem Kommen Jesu vorangehen (Mt 24,4-26), wird offenbaren, dass diejenigen, die diese Zeichen sehen, in den letzten Tagen oder in der Endzeit leben. Trotzdem werden diese Menschen nicht in der Lage sein, das genaue Datum von Jesu Wiederkunft zu bestimmen. Daniel 9,27 weist darauf hin, dass die Zeit der Bedrängnis für Jakob (Jer 30,7) – die Drangsalszeit – sieben Jahre dauern wird. An anderer Stelle wird dieser Zeitabschnitt in Monaten und in Tagen angegeben (Offb 11,2-3). Man mag sich fragen, warum die Menschen nicht den Tag oder die Stunde wissen werden, wenn die Zeit so klar angegeben wird. Vielleicht liegt der Grund darin, dass das Volk nicht in der Lage sein wird, den tatsächlichen Beginn dieses bedeutenden prophetischen Zeitabschnitts zu bestimmen. Daniel 9,27 offenbart, dass er beginnt, wenn das kleine Horn (Dan 7,8), das auch das Tier genannt wird (Offb 13,1), einen Bund mit der Nation Israel schließt. Normalerweise braucht es einige Zeit, die Möglichkeiten eines Bundes zu klären, vorbereitende Gespräche zu führen,

Verträge auszuhandeln, Zustimmung im Parlament zu erlangen und dann tatsächlich den Bund zu schließen. Die Menschen, die während der Drangsalsjahre leben, werden nicht wissen, zu welchem Zeitpunkt die sieben Jahre tatsächlich begonnen haben. So werden sie nicht wissen, dass sie in den letzten Tagen leben und das Kommen Jesu nahe ist. Sie werden nicht in der Lage sein, den tatsächlichen Tag oder die Stunde zu bestimmen. Angesichts der Ungewissheit über die tatsächliche Zeit des Kommens Jesu sollten diejenigen, die ihn jeden Augenblick erwarten, auf der Hut sein und wachen.

Wenn der Hausherr eine Reise plant, vertraut er seinen Knechten Pflichten an, die während seiner Abwesenheit erledigt werden sollen. In dieser Zeit unterstehen die Knechte nicht seiner direkten Aufsicht. Der Hausherr erwartet Treue seitens der Knechte, auch wenn er nicht bei ihnen ist. Wenn die Pflicht des Knechts darin besteht, das Tor zu bewachen, muss der Knecht diese Aufgabe treu erfüllen. Der Knecht darf nicht seinen zugewiesenen Posten verlassen, denn der Hausherr könnte jederzeit zurückkehren (Mt 13,35). Wenn der Knecht damit rechnet, dass der Hausherr nicht sofort zurückkehrt und seinen Posten verlässt, kann der Herr gerade während der Abwesenheit des Knechts zurückkehren. Dann wird dieser in seinem Gehorsam als nachlässig befunden werden. Deshalb muss der treue Knecht wachsam bei der Arbeit sein.

So war Jesu Verheißung einer bevorstehenden Rückkehr dazu gedacht, bei seinen Knechten Treue zu bewirken.

KAPITEL 34

Der wachsame Hausherr und der treue Knecht

Matthäus 24,42-51

Der Hintergrund

Im Verlauf seiner Endzeitrede unterwies Jesus seine Hörer bezüglich der Ungewissheit, zu welcher Zeit er zurückkehren werde. Die Zeichen, die in Matthäus 24,4-26 gegeben werden, sollen das Volk auf die Tatsache aufmerksam machen, dass es in den letzten Tagen lebt. Aber: *„Von jenem Tag aber und jener Stunde weiß niemand, auch nicht die Engel in den Himmeln, auch nicht der Sohn, sondern der Vater allein“* (V. 36). Jesus verglich diese Zeit, die unmittelbar auf sein zweites Kommen folgen würde, mit der Zeit Noahs. Noah warnte seine Generation im Voraus vor einem bevorstehenden Gericht, das durch die Flut kommen werde. Die Botschaft wurde zweifellos verstanden, aber ignoriert. Die Menschen beschäftigten sich mit den normalen Tätigkeiten des Lebens: essen und trinken, heiraten und andere verheiraten. Es war moralisch nichts Falsches daran, doch sie lebten fröhlich dahin, während sie sich auf das Gericht hätten vorbereiten sollen. Jesus offenbarte, dass die Generation in den letzten Tagen vor dem Kommen des Messias die Zeichen sieht und ebenso handeln wird wie die Generation Noahs: Sie ignorieren sie und leben wie bisher.

Das Problem

Jesus behandelt die Frage, wie die Menschen als Zeugen der Zeichen darauf reagieren sollten. Die Zeichen sollten die Menschen darauf hinweisen, dass sie sich auf das Gericht vorbereiten sollen, das auf Jesu Erscheinen folgen würde. Jesus meinte dieses Gericht, als er sagte: „*Dann werden zwei auf dem Feld sein, einer wird [ins Gericht weg-]genommen und einer gelassen [um ins Reich einzugehen]; zwei Frauen werden an dem Mühlstein mahlen, eine wird [ins Gericht weg-]genommen und eine gelassen [um ins Reich einzugehen]*" (Mt 24,40-41).

Die Lösung

Um die Frage zu beantworten, erzählte Jesus zwei kurze Gleichnisse, um Wachsamkeit, Bereitschaft und Treue zu lehren. Das erste Gleichnis bezieht sich auf einen Hausherrn, der erfahren hat, dass ein Dieb kommen wird (Mt 24,42-44). Er wurde nicht nur vorgewarnt, sondern ihm war sogar die Zeit genannt worden, zu der der Dieb ins Haus eindringen wollte. Jesu Betonung lag hier auf der Vorwarnung, die der Hausherr erhalten hatte. Angesichts dieser Warnung wird er sich auf den Dieb vorbereiten und einen Wachtposten aufstellen; dadurch wird der Eigentümer den Einbruch verhindern. Die Anwendung des Gleichnisses ist, dass alle, die die Zeichen sehen, vor dem bevorstehenden Kommen Jesu gewarnt sind. Mit diesem Wissen sollten sie sich auf sein Kommen vorbereiten, so wie sich der Hausherr auf das Kommen des Diebes vorbereitet hatte. Weigerten sie sich, wachsam zu sein, und ignorierten sie die Warnungen, würden sie im Gericht des Messias nicht bestehen können. So betonte Jesus im ersten Gleichnis Wachsamkeit und Bereitschaft.

Im zweiten Gleichnis zeigt Jesus, dass die Treue derer wichtig ist, die die Zeichen sehen. Der Herr sprach von einem Hausherrn, der einem Knecht Anweisungen gab. Von einem Knecht wurde erwartet, dass er treu die zugeteilte Aufgaben erledigte. Wenn der Hausherr zurückkehrte, wird er die Treue seines Knechtes bemerkt haben. War der Knecht treu, wird ihm weitere Verantwortung übertragen werden. So lehrt das Gleichnis, dass die Zeugen der Zeichen trotz der Abwesenheit des Herrn fleißig sein sollen, damit sie bei seinem Kommen als treu erfunden werden und die Belohnung erhalten.

Der Knecht konnte aber auch während der Abwesenheit des Hausherrn nachlässig werden. Er konnte die übertragene Autorität missbrauchen und die anderen Knechte schlecht behandeln, statt sie zu beaufsichtigen. Statt die zugewiesene Verantwortung wahrzunehmen, konnte er die Zeit der Abwesenheit des Hausherrn zur Zügellosigkeit nutzen. Solch ein törichter Knecht erwies sich als treulos, ohne zu wissen, wann der Hausherr zurückkehrte. Aber wenn der Hausherr zurückgekommen war und das Verhalten seines Knechtes sah, wird er *„ihn entzweischneiden und ihm sein Teil festsetzen bei den Heuchlern; da wird das Weinen und das Zähneknirschen sein“* (Mt 24,51). In diesem Teil des Gleichnisses offenbarte Jesus, dass Menschen, die untreue Verwalter sind und die Zeichen seines Kommens ignorieren, vom Reich des Messias ausgeschlossen werden. Hier stehen die Knechte für das Volk Israel, das während der Drangsalszeit Gottes Verwalter sein wird. Bei der Wiederkunft Jesu wird die Nation gerichtet werden; die Treuen werden im Reich willkommen geheißen werden und die Untreuen werden ausgeschlossen sein. Auch hier entspringt die Treue wieder dem Glauben an Jesus, während die Untreue im Unglauben liegt. So wird das Volk durch die Zeichen dazu ermahnt, wachsam, bereit und treu zu sein. Denn diese Zeichen kündigen das Kommen des Richters an, der die Erretteten von den Unerretteten trennen wird.

KAPITEL 35

Die zehn Jungfrauen

Matthäus 25,1-13

Der Hintergrund

Jesus legte in der Endzeitrede einen streng chronologischen Gang durch den eschatologischen Zeitplan für das Volk Israel dar. In Matthäus 24,4-26 behandelte er die sieben Jahre der Drangsalszeit, auch die Zeit der Bedrängnis für Jakob (Jer 30,7) genannt. Als Nächstes beschrieb er sein zweites Kommen auf die Erde (V. 27-30), gefolgt von der erneuten Sammlung des Volkes Israel im Land. Wir finden sodann einen Einschub in der Reihenfolge der Ereignisse, in dem Jesus durch Gleichnisse zu Wachsamkeit, Bereitschaft und Treue ermahnte (V. 32-51). Dann beschrieb er in zwei Gleichnissen das nächste eschatologische Ereignis für Israel, das auf das zweite Kommen folgt: das Gericht über die dann lebende Generation, um die Erretteten von den Unerretteten zu trennen (25,1-30). Die Formulierung *„Dann"* (V. 1) muss mit Kapitel 24,31 aufeinanderfolgend verbunden werden.

Das Problem

In dem unmittelbar vorausgehenden Abschnitt (Mt 24,50-51) hatte Jesus von einem Gericht gesprochen, das die unvorbereiteten Israeliten aus dem messianischen Reich ausschließen würde. Danach kam eine Frage über dieses Gericht auf: Auf welcher Grundlage würde das Volk gerichtet werden?

Die Lösung

Zunächst gibt Jesus die Antwort im Gleichnis von den zehn Jungfrauen (Mt 25,1-13). Zu Beginn muss der Kontext beachtet werden. Jesus beschäftigte sich an dieser Stelle mit dem Gericht für das Volk Israel. Die Gemeinde ist nirgendwo in dieser Darlegung von Matthäus 24–25 im Blick. Vielmehr entfaltete Jesus hier die Eschatologie des Volkes Israel. Obwohl Paulus von der Gemeinde als einer *„reinen Jungfrau"* sprach, beweist dieser Gebrauch des Bildes keineswegs, dass die Gemeinde in diesem Gleichnis im Blick ist. Erneut gebraucht Jesus das vertraute Bild der orientalischen Hochzeit. Eine zweite Einladung wurde denen zugesandt, die zuvor eingeladen waren. Ihnen wurde mitgeteilt, dass das Hochzeitsmahl vorbereitet war und ihre Teilnahme erwartet wurde. Der Bräutigam hatte das Haus seines Vaters verlassen, um zum Haus seiner Verlobten zu gehen und sie als Braut zu sich zu holen. Dem Brauch gemäß bereitete der Brautvater ein Festessen für seine Tochter vor und lud ihre Freundinnen ein, damit sie die bevorstehende Hochzeit mit ihnen feiern konnte. Es ist nicht bekannt, wie lange das Festessen im Haus der Braut dauerte. Als die eingeladenen Gäste sich zum Hochzeitsmahl im Haus des Bräutigams versammelten, wussten sie, dass sie eine unbestimmte Zeit warten mussten, bis der Bräutigam mit seiner Braut zum Festmahl kam. Die zehn Jungfrauen hatten sich an dem Ort versammelt, an dem das Hochzeitsmahl stattfinden sollte, und sie erwarteten ebenfalls das Erscheinen des Bräutigams mit seiner Braut.

Die zehn Jungfrauen waren von zweierlei Charakter: die einen töricht, die anderen klug. Die törichten hatten keine Vorsorge für eine längere Verspätung des Bräutigams getroffen. Da die Lampen nur eine kleine Menge Öl fassen konnten, war es üblich, zusätzliches Öl in einem Krug mitzunehmen, um nachfüllen zu können. Die klugen hatten zusätzliches Öl in Krügen mitgebracht, da sie um die Möglichkeit einer Verspätung wussten. Als es dann wirklich später wurde, konnten sie das Öl ihrer Lampen auffüllen und so dafür sorgen, dass ihre Lampen weiter brannten.

Als es Nacht wurde, merkten die Wartenden, dass es wohl Morgen würde, bis der Bräutigam kam. Doch entgegen dem Brauch hatte der Bräutigam das Haus der Braut verlassen und reiste nach Einbruch der Dunkelheit. Er kam gegen Mitternacht in seinem Heimatdorf an. Da die Gäste den Bräutigam nicht mehr erwartet hatten, waren sie alle schlafen gegangen. Als der Bräutigam sich dem Dorf näherte, sandte er die Nachricht von seiner Ankunft voraus, sodass die Festgäste ihm entgegengehen konnten, um ihn und seine Braut zum Hochzeitssaal zu geleiten. Es war bereits dunkel, daher brauchte man Lampen, um hinauszugehen und den Bräutigam zu empfangen. Dieser Umstand machte besonders den Unterschied zwischen den beiden Gruppen von Jungfrauen deutlich: die klugen konnten ihre Lampen auffüllen und dem Bräutigam entgegengehen; die törichten hatten kein Öl und konnten den Bräutigam nicht willkommen heißen. So waren einige auf die Verspätung vorbereitet, andere nicht.

Auch die Unvorbereiteten wollten den Bräutigam und seine Braut treffen, um das Hochzeitsfest zu feiern. Sie versuchten, noch Öl zu bekommen. Da es unmöglich war, zu dieser späten Stunde auf dem Markt Öl zu kaufen, wollten sie etwas von den klugen Jungfrauen leihen. Doch diese weigerten sich, ihr Öl mit ihnen zu teilen. Die klugen Jungfrauen waren nicht selbstsüchtig, sondern vielmehr dem Bräutigam treu. Sie wollten gehen und ihn treffen, und sie brauchten ihr Öl, um sich dem Festzug zum Hochzeitssaal anschließen zu können. Das Gleichnis stellt heraus, dass diejenigen, *„die bereit waren, … mit ihm hinein[gingen] zur Hochzeit, und die Tür wurde verschlossen“* (Mt 25,10).

Die törichten Jungfrauen hatten keine andere Wahl, als bis Tagesanbruch zu warten und dann Öl auf dem Markt zu kaufen. Nachdem sie sich Nachschub besorgt hatten, kamen sie zum Hochzeitssaal und baten darum, eingelassen zu werden. Doch der Gastgeber weigerte sich, die Tür zu öffnen.

Obgleich Israel während der Drangsalszeit eindrückliche Zeichen gegeben werden (Mt 24,14), werden manche unvorbereitet sein, wenn der König kommt, um sein Tausendjähriges Reich aufzurichten. Die Vorbereiteten gehen in das Reich ein, um sich an seinen Gaben zu erfreuen, doch die Unvorbereiteten werden ausgeschlossen. Daher lehrt dieses Gleichnis, dass es ein Gericht der dann lebenden Israeliten geben wird, um zu beurteilen, wer vorbereitet ist und wer nicht. Das ist eine Erweiterung der vorherigen Aussage Jesu: „*Deshalb seid auch ihr bereit*" (Mt 24,44).

KAPITEL 36

Die anvertrauten Talente

Matthäus 25,14-30

Der Hintergrund

Bevor Jesus dieses Gleichnis erzählte, hatte er seine Hörer über Treue belehrt (Mt 24,45-51).

Das Problem

Jesus sprach nun darüber, wie wichtig es ist, dass man bei seinem Kommen als treu erfunden wird. Er geht auf die folgende Frage ein: Welches Gericht erwartet diejenigen, die untreu sind?

Die Lösung

Diese Frage wird mit dem Gleichnis von den anvertrauten Talenten beantwortet, das in vielerlei Hinsicht dem Gleichnis von den zehn Pfunden ähnelt (vgl. Lk 19,11-27). In jenem Gleichnis wurde zehn Knechten jeweils ein Pfund anvertraut, und die Betonung lag dabei auf der Chancengleichheit. In diesem Gleichnis liegt die Betonung auf der Verantwortung des Einzelnen. Ein Mann, der auf Reisen ging, rief seine Knechte und gab dem einem fünf Talente, dem anderen zwei und einem dritten ein Talent. Damals war ein Talent eine überaus große Geldsumme; so betont dieses Gleichnis die große Verantwortung, die jedem Knecht übertragen wurde. Nachdem er die Talente verteilt hatte, ging der Hausherr in der Erwartung auf die Reise, dass die Knechte mit dem Anvertrauten während seiner Abwesenheit treu umgehen würden. Als der Hausherr schließlich zurückkehrte, rief er seine Knechte, um Rechenschaft über ihre Verwaltung zu fordern. Zwei der Knechte wurden als treu erfunden, weil sie ihre Talente verdoppelt hatten. Der

Hausherr belohnte sie für ihre Treue und sagte zu beiden: *„Recht so, du guter und treuer Knecht! Über weniges warst du treu, über vieles werde ich dich setzen; geh hinein in die Freude deines Herrn"* (Mt 25,21; vgl. V. 23). Es ist interessant, dass die anvertraute Geldsumme vom Hausherrn als *„weniges"* erachtet wurde, obwohl sie in den Augen der Welt groß war. Die beiden hatten ihre Pflicht treu erfüllt und sollten nun vom Hausherrn mit höheren Posten betraut werden. Jesus offenbarte, welch großen Wert er auf die Treue derer legt, die auf seine Rückkehr warten. Diejenigen, die treu warten, werden nicht nur im messianischen Reich empfangen werden, sondern ihnen wird Verantwortung im Reich übertragen.

Jesus fährt in dem Gleichnis fort und zeigt, wohin Untreue führt. Der Mann, der das eine Talent erhalten hatte, gab zwar zurück, was ihm anvertraut worden war; doch aus Angst vor seinem Herrn hatte er nichts mit dem einen anvertrauten Talent unternommen. Indem er die Gelegenheit hatte, die Güter seines Herrn zu vermehren, es aber nicht tat, erwies er sich als untreu. Deshalb sagte der Hausherr: *„Böser und fauler Knecht! … Nehmt ihm nun das Talent weg, und gebt es dem, der die zehn Talente hat! … Und den unnützen Knecht werft hinaus in die äußere Finsternis; da wird das Weinen und das Zähneknirschen sein"* (Mt 25,26.28.30). Der untreue Knecht erhielt nicht nur keine Belohnung, sondern er wurde vollständig aus dem Haushalt seines Herrn ausgeschlossen. In diesem Gleichnis lehrte Jesus, dass diejenigen, die die Zeichen des nahenden Messias sehen, die Möglichkeit haben, sich vorzubereiten und sich so als seine treuen Knechte zu erweisen. Wer das jedoch versäumt, wird nicht in das Reich eingehen, das Jesus bei seinem zweiten Kommen errichten wird. Das Gleichnis zeigt also sowohl die Belohnung für Treue als auch das Gericht für Untreue, das diejenigen erwartet, die nicht mit dem Kommen des Messias rechnen.

KAPITEL 37

Die Schafe und die Böcke

Matthäus 25,31-46

Der Hintergrund

Bis hierher hatte Jesus in der Endzeitrede die Reihenfolge der eschatologischen Ereignisse für das Volk Israel entfaltet. Das davidische Reich, das beim zweiten Kommen Jesu errichtet werden soll, ist sicherlich Israels Reich. Doch das Alte Testament hat deutlich gemacht, dass Heiden ihren Anteil daran haben werden. Zum Beispiel verhieß Gott Abraham: „... *in dir sollen gesegnet werden alle Geschlechter der Erde*" (1Mo 12,3). Die Propheten hatten den Segen vorausgesagt, der über die Heiden kommen würde, wenn der Messias sein Reich errichtet (Sach 8,20-23).

Das Problem

In Anbetracht dessen stellte sich die Frage über die Grundlage, auf der Heiden in das Tausendjährige Reich aufgenommen werden.

Die Lösung

Im Gleichnis von den Schafen und Böcken offenbarte Jesus das Gericht, das nach Israels Gericht über die noch lebenden Heiden kommen würde. Das Gleichnis enthüllt, wer aus den Heiden in das Tausendjährige Reich eingehen und wer ausgeschlossen wird. Zu Beginn beschrieb Jesus die Herrlichkeit, die herrschen wird, wenn er ein zweites Mal auf die Erde kommt. Der Herr bezog sich mit dem Ausdruck „*der Sohn des Menschen*" (Mt 25,31) auf sich selbst; das ist der Titel, den er während seines irdischen Dienstes am häufigsten für sich verwendete und der seit seinem erstmaligen Gebrauch in Daniel 7,13 als messianischer Titel angesehen wurde.

Jesus sprach auch von dem „*Thron*“, auf dem er sitzen wird, nämlich dem Thron Davids, den er als sein Nachkomme besteigen wird, wenn er über Davids Reich regiert (2Sam 7,16; Lk 1,32-33). Dieselbe Herrlichkeit, die Petrus, Jakobus und Johannes auf dem Berg der Verklärung sahen und die eine Vorschau der Herrlichkeit Jesu im Tausendjährigen Reich war (Mt 17,1-2), wird der Welt beim zweiten Kommen Jesu offenbart werden. Wenn der Herr wiederkommt, wird er alle Nationen vor sich versammeln. Das griechische Wort, das mit „*Nationen*“ (25,32) übersetzt wird, kann auch mit „*Heiden*“ übersetzt werden (1Kor 12,2; 3Jo 7). Die Heiden werden nicht als ganze Völker zum Gericht versammelt, sondern vielmehr als Individuen. Dieser Teil des Gleichnisses sieht Israel als bereits gerichtet an, ebenso wie hier jetzt „*alle Nationen*“ (V. 32) gerichtet werden; deshalb wird kein lebender Mensch vom Gericht befreit sein, das vor der eigentlichen Errichtung des Tausendjährigen Reiches stattfindet. Wie ein Hirte die Schafe von den Böcken trennt, so wird Jesus alle Menschen in zwei Gruppen teilen, die bei diesem Gericht vor ihm erscheinen. „*Und er wird die Schafe zu seiner Rechten stellen, die Böcke aber zur Linken*“ (V. 33).

Der Richter bei diesem Gericht wird als „*der König*“ bezeichnet (V. 34); dabei wird betont, dass derjenige, der regieren wird, derselbe ist, der richten wird. Der König beschreibt diejenigen auf der rechten Seite als „*Gesegnete meines Vaters*“ und gebietet ihnen: „*Erbt das Reich, das euch bereitet ist von Grundlegung der Welt an!*“ Sie sollen die Segnungen der Regierung des Königs in seinem Reich erfahren. Die Grundlage für die Einladung, in das Reich einzugehen, wird nun genannt: „*Denn mich hungerte, und ihr gabt mir zu essen; mich dürstete, und ihr gabt mir zu trinken; ich war Fremdling, und ihr nahmt mich auf; nackt, und ihr bekleidetet mich; ich war krank, und ihr besuchtet mich; ich war im Gefängnis, und ihr kamt zu mir*“ (V. 35-36). Die in das Reich eingeladen werden, erheben dann den Einwand, dass sie diese Dinge unmöglich getan haben könnten, da sie den Herrn niemals zuvor gesehen hätten.

Er wird antworten: „… *was ihr einem dieser meiner geringsten Brüder getan habt, habt ihr mir getan*" (V. 40). Durch diese Aussage in Vers 40 wird Jesus auf eine dritte Gruppe dort in seiner Gegenwart als König verweisen. Sie sind „*diese meine geringsten Brüder*". Verschiedene Erklärungen wurden angeboten, um diese *Brüder* zu identifizieren. Da das Volk Israel zuvor gerichtet worden ist und die Klugen und die Treuen in das Reich eingelassen wurden, haben manche vorgeschlagen, dass die Brüder für die Gläubigen im Volk Israel stehen. Andere haben angemerkt, dass Gott 144.000 aus den Stämmen Israels versiegeln wird, damit sie seine Knechte werden (Offb 7,1-8), und dass diese Gruppe während der Drangsalszeit das Evangelium der Rettung durch Gnade aufgrund des Glaubens an das Blut Jesu verkünden wird (V. 14). Auf dieser Grundlage, so nimmt man an, werden diese Zeugen durch die „*Brüder*" in Matthäus 25,40 dargestellt. Diese Interpretation ist vielleicht die beste. Diese Knechte werden während der Herrschaft des Tieres ihren Dienst verrichten (Offb 13,1-2), dessen Bestreben es sein wird, das Volk Israel zu vernichten (V. 7). Auf diese Zeugen wird sich der Hass des Tieres richten. Da sie sich weigern werden, sich seiner Autorität zu unterwerfen, werden viele von ihnen hungrig und durstig, ohne Kleidung und wegen ihrer Hingabe an Jesus sogar eingesperrt sein. Es wird jene geben, die Gottes Botschaft für diese Zeit hören und glauben und die ihren Glauben trotz der Gefahr, in die sie dadurch geraten, praktizieren. Diese „*Brüder*" werden diejenigen speisen, kleiden und ihnen Gastfreundschaft erweisen, die das Tier zu töten beabsichtigt. Sie werden den Boten helfen, weil sie der Botschaft glauben. Jesus wird sagen können, dass sie durch ihre Hilfe für die Boten das Gute für ihn taten. Während man auf der Grundlage eines nur flüchtigen Blickes schließen könnte, dass diese Gruppe aufgrund von Werken in das

Reich aufgenommen wird, zeigt eine genauere Betrachtung, dass auch hier das Glaubensprinzip wirksam wird. Diese Menschen werden nicht aufgrund ihrer Werke aufgenommen, sondern vielmehr weil ihre Werke ihren Glauben zeigen, der die Grundlage für ihre Aufnahme in das Reich sein wird. Dabei spielt das eine Rolle, was Jakobus im Sinn hatte, als er sagte: *„Was nützt es, meine Brüder, wenn jemand sagt, er habe Glauben, hat aber keine Werke? Kann etwa der Glaube ihn retten? Wenn aber ein Bruder oder eine Schwester dürftig gekleidet ist und der täglichen Nahrung entbehrt, aber jemand unter euch spricht zu ihnen: Geht hin in Frieden, wärmt euch und sättigt euch!, ihr gebt ihnen aber nicht das für den Leib Notwendige, was nützt es? So ist auch der Glaube, wenn er keine Werke hat, in sich selbst tot*" (Jak 2,14-17).

Der König wird sich dann an die zu seiner Linken wenden und gebieten: *„Geht von mir, Verfluchte, in das ewige Feuer, das bereitet ist dem Teufel und seinen Engeln*" (Mt 25,41). So werden diejenigen, die als Böcke gelten, aus dem Reich des Königs ausgeschlossen. Der König wird erklären: *„Denn mich hungerte, und ihr gabt mir nicht zu essen; mich dürstete, und ihr gabt mir nicht zu trinken; ich war Fremdling, und ihr nahmt mich nicht auf; nackt, und ihr bekleidetet mich nicht; krank und im Gefängnis, und ihr besuchtet mich nicht*" (V. 42-43). Die Verurteilten werden behaupten, dass solch ein Urteil ungerecht sei, weil sie nie auch nur eine Gelegenheit gehabt hätten, solches für Jesus zu tun. Doch er wird antworten: „… *was ihr einem dieser Geringsten nicht getan habt, habt ihr auch mir nicht getan*" (V. 45). Wie diejenigen, die als Schafe gelten, haben sie die Botschaft der Boten gehört; doch aus Angst vor dem Zorn des Tieres haben sie sich geweigert, ihnen zu helfen, und so gezeigt, dass sie die Botschaft ablehnen. Durch ihren Mangel an Werken wurde ihr Mangel an Glauben deutlich, und daher wird der König sagen: „… *diese werden hingehen zur ewigen Strafe, die Gerechten aber in das ewige Leben*" (V. 46).

In diesem Gleichnis zeigte Jesus, dass er nach dem Gericht an den dann lebenden Juden als König auch das Gericht über die dann lebenden Heiden vollziehen wird. Diejenigen, die ihren Glauben durch ihre Werke gezeigt haben, werden in sein Reich aufgenommen; und diejenigen, die ihren Mangel an Glauben durch ihren Mangel an Werken zeigen, werden aus seinem irdischen Tausendjährigen Reich ausgeschlossen werden. Kein unerretteter Mensch, weder Jude noch Heide, wird in das messianische Reich eingehen. Das Reich, das errichtet werden soll, wird aus jenen bestehen, die die Errettung angenommen haben, die durch den König während seines ersten Kommens hier auf Erden bereitgestellt wurde.

KAPITEL 38

Die Lehre vom Reich Gottes in den Gleichnissen

Als Antwort auf die Frage der Jünger: *„Warum redest du in Gleichnissen zu ihnen?"* (Mt 13,10), antwortete Jesus: *„Weil euch gegeben ist, die Geheimnisse des Reiches der Himmel zu wissen"* (V. 11). Jesus stellte auf diese Weise klar, dass die Gleichnisse dazu dienten, Wahrheiten über den Plan Gottes für das messianische Reich zu offenbaren. Er leitete seine Gleichnisse viele Male mit der Wendung ein: *„Mit dem Reich der Himmel ist es wie …"* (13,24.31.33.44-45.47; 18,23; 20,1; 22,2; 25,1). Indem er die einzelnen Gleichnisse erzählte, offenbarte er verschiedene Facetten der Wahrheit über das Reich Gottes. Es wird sich als hilfreich erweisen, die Gleichnisse thematisch zu ordnen, um auf der Grundlage dieses Teils der Predigt Jesu eine Lehre vom Reich zu entwickeln.

Das Angebot des Reiches

Das einzigartige Angebot Jesu

Wegen der Bundesschlüsse und der Verheißungen der Propheten erwartete das Volk Israel ein Reich, über das Davids Sohn herrschen würde. Sie erwarteten buchstäblich ein Königreich, das buchstäblich aus Menschen bestand. Doch durch den starken Einfluss der Pharisäer waren sie zu der Überzeugung gekommen, dass sie bereits zu diesem Reich gehörten. Jesus erzählte die *Gleichnisse von dem geflickten Gewand und den Weinschläuchen* (Lk 5,36-39), um zu zeigen, dass er nicht gekommen war, um auf die Lehre der Pharisäer aufzubauen. Er wollte nicht den Bund erfüllen, indem er ihre Lehre fortführte. Vielmehr war er gekommen, um ein Reich vorzustellen, das neu und einzigartig war und keinerlei Beziehung zu den Vorstellungen vom Reich hatte, die damals vorherrschten.

Jesus, der gute Hirte

Weil sein Recht, die messianische Herrschaft zu übernehmen, zurückgewiesen wurde, und man seine Ansprüche nicht respektierte, erzählte Jesus das *Gleichnis vom Hirten und seinen Schafen* (Joh 10,1-18). Er wollte beweisen, dass er wirklich der Messias war, weil er auf die Art gekommen war, wie es die Propheten vorausgesagt hatten. Er hatte daraufhin offenbart, dass diejenigen, die wirklich sein Eigentum sind und daher zu seinem Reich gehören, ihn erkennen würden, auch wenn das jüdische Volk in seiner Allgemeinheit ihn zurückgewiesen hatte. Er würde die Seinen aus der Gefangenschaft des Pharisäertums herausführen und sie in die Freiheit führen, die sein Reich kennzeichnete.

Auch Sünder werden angenommen, damit sie ins Reich eingehen

Die Pharisäer hatten ein verkehrtes und verzerrtes Bild vom Wesen Gottes. Da sie verstanden, dass Gott heilig ist, schlossen sie, dass er Sünder in sein Königreich nicht aufnimmt. Sie argumentierten, dass es das Lebensziel eines Menschen sein sollte, genügend gute Werke zu tun, um am Ende Eingang in das Reich zu erhalten. Sie lehrten, dass Gott Sünder hasst und sich am Tod eines Sünders freut, weil dann die Bösen für immer aus seiner Gegenwart entfernt sind.

Um diese falsche Lehre zu korrigieren, lehrte unser Herr die drei *Gleichnisse vom verlorenen Schaf, der verlorenen Drachme und dem verlorenen Sohn* (Lk 15,1-32). In den ersten beiden legte Jesus die Betonung auf die sorgfältige Suche, die die Eigentümer durchführten, bis das Verlorene gefunden war; dann betonte er ihre Freude, als sie es zurückhatten. Im dritten Gleichnis betonte unser Herr das Herz des Vaters. Obwohl es der Sohn nicht wert war, erwartete der Vater sehnsüchtig seine Rückkehr und hielt Gewand,

Ring und Sandalen bereit, um dem Sohn Autorität zu übertragen. Außerdem hatte der Vater ein Festessen bereitet, durch das er seine Freude über die Rückkehr des Sohnes zeigte. Jesus erzählte diese Gleichnisse, um deutlich zu machen, dass jeder Sünder eingeladen ist, sein Angebot anzunehmen und so in sein Reich einzugehen.

Warnung vor Zurückweisung

Die Pharisäer hatten für die Menschen im Volk die Führung in religiösen Angelegenheiten übernommen. Sie wurden für Hirten gehalten; und die Menschen fühlten sich verpflichtet, diesen Führern zu folgen. Im *Gleichnis vom Blinden, der einen Blinden leitet* (Lk 6,39), warnte Jesus davor, den Pharisäern zu folgen, da sie die Zurückweisung seiner Person bereits unmissverständlich klar gemacht hatten. Wenn die Menschen diesen Führern folgten, liefen sie ins Unheil, denn diese Führer waren geistlich blind. Das Gleichnis spricht also von der Möglichkeit der Zurückweisung Jesu durch das Volk, da er bereits von den Führern zurückgewiesen worden war.

Die Ankündigung des Reiches

In dem *Gleichnis vom König, der ein Hochzeitsmahl für seinen Sohn vorbereitet* (Mt 22,1-14), zeigte Jesus, dass an die damalige Generation von Juden eine Einladung ergangen war, in das Reich Gottes einzugehen. Die erste Einladung war den Freunden des Bräutigams zur Zeit der Verlobung ausgesprochen worden. Dann vergingen ungefähr 12 Monate, und die Hochzeit stand vor ihrem Abschluss und Höhepunkt. Dem Brauch gemäß wurde nun eine zweite Einladung an diejenigen ausgesprochen, die zur Zeit der Verlobung bereits eingeladen worden waren, damit sie an dem Hochzeitsmahl teilnehmen und die Freude des Bräutigams teilen würden. Die Tatsache, dass es Zeit für die zweite Einladung war, zeigt, dass die Hochzeit nahe bevorstand. Da Jesus das

Hochzeitsmahl als Bild für sein Tausendjähriges Reich verwendete, wissen wir, dass dieses Gleichnis das Angebot des Reiches lehrt. Doch nicht alle, die eingeladen worden waren, wollten teilnehmen. Daher wurde die Einladung nochmals ausgesprochen und dann sogar der Kreis der Geladenen erweitert, damit der Festsaal mit Gästen gefüllt wurde. Es ist klar, dass das im Bund verheißene und prophezeite Reich dieser Generation angeboten wurde. Jesus lehrte dieselbe Wahrheit in dem *Gleichnis von dem Mann, der ein großes Festmahl vorbereitete* (Lk 14,16-24), für das die Gäste ebenfalls eine vorherige Einladung erhalten hatten. Später wurde ihnen gesagt, dass das Festmahl zubereitet sei und sie eingeladen seien, nun zu kommen.

Einladung angesichts des angebotenen Reiches

Zur Einladung in sein Reich gab Jesus einen wichtigen Hinweis: *„Geht hinein durch die enge Pforte! Denn weit ist die Pforte und breit der Weg, der zum Verderben führt, und viele sind, die auf ihm hineingehen. Denn eng ist die Pforte und schmal der Weg, der zum Leben führt, und wenige sind, die ihn finden“* (Mt 7,13-14). Er sprach daraufhin eine Warnung aus, die Einladung nicht zu beachten. In dem *Gleichnis vom klugen und törichten Bauherrn* (V. 24-27) verglich Jesus seine Worte mit einem Fels, auf den man bauen konnte. Ein Haus, das auf solch einem sicheren Fundament steht, wird jedem Sturm standhalten. Jesus verglich die Lehre der Pharisäer mit Sand. Wenn jemand auf dieses Fundament baut, wird das Gebäude bei Sturm einstürzen. Das Volk stand vor einer Entscheidung. Einerseits konnte es Jesu Worte annehmen und ins Reich eingehen, indem es ihm glaubte. Wenn es andererseits seine Worte zurückwies und die Lehre der Pharisäer annahm, wird es aus dem Reich ausgeschlossen werden. Daher war die Einladung in das Reich mit der Warnung verbunden zu versuchen, auf irgendeinem anderen Weg als allein durch Jesus selbst in das Reich einzugehen.

Die Zurückweisung des Angebots

In vielen seiner Gleichnisse zeigte Jesus, dass das Volk sein Angebot zurückweisen würde. Daher griff er im *Gleichnis vom Arzt*, dem man zuruft, er solle sich selbst heilen (Lk 4,23), den Unglauben des Volkes auf. Es verlangte von ihm den Beweis, dass er der Messias war. Niemand geht schließlich zu einem Arzt, der nicht heilen kann. Für viele im Volk war Jesus ein Sünder; bevor er die Errettung als Vorbedingung für den Eingang in das Reich anbieten konnte, sollte er sich erst einmal erfolgreich mit seinen eigenen Sünden beschäftigen.

Das *Gleichnis vom Hochzeitsmahl* (Mt 22,1-14) betonte nicht nur das Angebot des Reiches, sondern offenbarte auch die Antwort der geladenen Gäste auf die Einladung. Die Gäste waren von persönlichen Dingen in Anspruch genommen und lehnten es ab, ihre Tätigkeiten zu unterbrechen und auf das Fest zu kommen. Im Gleichnis vom großen Festmahl (Lk 14,16-24) fingen die geladenen Gäste auf die gleiche Weise an, *„sich zu entschuldigen"* (V. 8). In diesen Gleichnissen wurden Einladungen verschickt und empfangen; die Empfänger dachten über ihre Antwort nach und beschlossen, das Festmahl zu ignorieren.

Die Zurückweisung des Reiches wurde im *Gleichnis vom Eigentümer, der einen Weinberg pflanzte* (Mt 21,33-44), weiter deutlich. Der Eigentümer, der die Ernte seines Weinbergs erwartete, sandte Knechte aus, um die Frucht zu ernten. Doch die Pächter schlugen, steinigten und töteten die Knechte. Dieser Teil des Gleichnisses zeigt die Haltung des jüdischen Volkes in vergangenen Zeiten gegenüber den Propheten, die das Volk ermahnten, angesichts der Verheißung des davidisch-messianischen Reiches Buße zu tun. Der Eigentümer sandte schließlich seinen Sohn, um Anspruch auf die Ernte zu erheben, doch die Pächter töteten ihn. Erneut zeigt dies die Reaktion des Volkes auf das Angebot des Reiches durch den Messias.

Der zeitliche Aufschub des Reiches

Der davidische Bund sollte die Erfüllung der bedingungslosen, ewigen Bundesschlüsse sein, die Gott dem Volk Israel gegeben hatte. In seinen Bundesverheißungen an Abraham (1Mo 12,1-3; 13,14-17; 15,18-20; 17,4-8) sagte Gott, dass Abrahams leibliche Nachkommen das Land erben werden, das Gott ihm dauerhaft übertragen hatte. Im Bund mit David (2Sam 7,16) verhieß Gott, dass ein Nachkomme Davids auf dessen Thron sitzen und über sein Haus regieren werde. Dies alles wurde Israel angeboten, aber vom Volk zurückgewiesen. Weil die Bundesschlüsse ewig, bedingungslos und daher unwiderruflich sind, konnte die Verheißung des davidisch-messianischen Reiches nicht aufgehoben werden. Sie konnte allerdings verzögert werden. Jesus erzählte das *Gleichnis von den zehn Pfunden* (Lk 19,11-27), um zu lehren, dass das Angebot des Reiches zurückgenommen und die messianische Form der Gottesherrschaft aufgeschoben wird. Der Herr erzählte von einem hochgestellten Mann, der *„in ein fernes Land [zog], um ein Reich für sich zu empfangen und wiederzukommen“* (V. 12). Da der Mann von edler Herkunft war, stand ihm das Recht zu, zu herrschen. Die Abwesenheit von seinem Reich hob sein Herrscherrecht nicht auf. Wenn er zurückkehrte, würde er seine Rechte ausüben. Auf diese Weise bestätigte Jesus, dass Israels Zurückweisung seiner selbst als Messias seinen Anspruch nicht aufhob, noch bedeutete seine Abwesenheit, dass er auf seine Rechte verzichtete. Zu seiner Zeit würde er zurückkehren, um die Herrschaft auszuüben, die ihm zustand.

Jesus sprach von derselben Tatsache im Gleichnis vom Türhüter (Mk 13,34-37). Er erzählte von einem Hausherrn, der sein Landgut für längere Zeit verließ. Dieser Teil des Gleichnisses betonte Jesu Aufschub des Reiches und seine Abwesenheit von dem Ort, an dem das Reich bei seiner Rückkehr errichtet werden wird.

Jesus lehrte diese Wahrheit außerdem im *Gleichnis vom Hausherrn, der einen Weinberg pflanzte* (Mt 21,33-44). Da die Pächter keine Frucht erwirtschafteten, die dem Eigentümer zu übergeben war, entschloss dieser sich dazu, ihnen den Weinberg wegzunehmen und ihn anderen Pächtern zu geben. Jesus legte diesen Teil des Gleichnisses folgendermaßen aus: „*Das Reich Gottes wird von euch weggenommen und einer Nation gegeben werden, die seine Früchte bringen wird*" (V. 43). Die Auslegung dieses Verses ist im Großen und Ganzen einheitlich, bis auf die Frage, ob das Volk, dem das Reich gegeben wird, die Heiden sind, durch die Gott im gegenwärtigen Zeitalter wirkt, oder eine zukünftige Generation Israels, der das Reich nach der Drangsalszeit erneut angeboten wird. Jesu zentrale Lehre war, dass das Reich zurückgestellt und auf eine zukünftige Zeit verschoben wird.

Das Gericht über diese Generation wegen ihrer Zurückweisung des Messias

In einer Reihe von Gleichnissen sprach Jesus vom Gericht, das wegen seiner Zurückweisung über diese Generation kommen würde. Im *Gleichnis vom Hausherrn, der den Weinberg pflanzte* (Mt 21,33-34), hatte Jesus sich selbst als den Stein dargestellt, „*den die Bauleute verworfen haben*" (V. 42), und danach hatte er angekündigt, „*auf wen er [der Stein] fallen wird, den wird er zermalmen*" (V. 44). Jesus ist im Bild also ein Richter, der den Schuldigen das Urteil zumessen wird. Im *Gleichnis vom gereinigten Haus* (Mt 12,43-45) beschreibt Jesus das Volk so, dass es einer Reinigung durch den Dienst von Johannes dem Täufer unterzogen worden war; doch diese Reinigung war nicht von Dauer. Der unreine Geist, der das Haus verlassen hatte, brachte sieben andere Geister mit, die noch gottloser waren als er selbst, und sie drangen ein und besetzten das gereinigte Haus.

Jesus erklärte: *„Das Ende jenes Menschen wird schlimmer als der Anfang"* (V. 45). Das heißt, der Zustand des Volkes war aufgrund der Zurückweisung des Messias schlechter als zu der Zeit, da Johannes seinen Dienst tat und das Volk zur Buße rief. Jesus sagte: *„So wird es auch diesem bösen Geschlecht ergehen"* (V. 45). Er meinte damit, dass Israels Zustand so war wie der des Menschen im Gleichnis: am Ende schlechter als am Anfang. Dieses Gleichnis zeigt, dass zwar ein Angebot gemacht worden war, das bei Annahme das Gericht aufgehoben hätte; das Volk aber hatte es abgelehnt und so würde das Gericht kommen.

Die neue Form des Reiches

Die verheißene und davidisch-messianische Form der Gottesherrschaft, die Jesus dem jüdischen Volk seiner Zeit angeboten hatte, wurde zurückgewiesen. Er hatte daher das Urteil über diese Generation gefällt, und das Angebot des Reiches zurückgezogen. Weil jedoch das Reich auf einem ewigen, bedingungslosen Bund beruhte, konnte es nicht aufgehoben werden; stattdessen wurde es auf eine unbestimmte zukünftige Zeit verschoben. Jesus zog es vor, durch Gleichnisse die Form der Gottesherrschaft zu offenbaren, durch die Gott seine souveräne Autorität während des gegenwärtigen Zeitalters zeigen würde. Wie bereits erwähnt, waren die Gleichnisse so gestaltet, dass sie den Gläubigen die Wahrheit offenbarten und sie gleichzeitig vor den Ungläubigen verbargen (vgl. „Wie Jesus Gleichnisse verwendete" in der Einführung). Viele der Gleichnisse, die den Verlauf dieses gegenwärtigen Zeitalters zeigen, sind in Matthäus 13 aufgezeichnet. Zweifellos wiederholte Jesus die Gleichnisse, um die Jünger zu vielen unterschiedlichen Gelegenheiten über den Verlauf dieses gegenwärtigen Zeitalters zu belehren. Die Gleichnisse in Matthäus 13 beschreiben eine Reihe wesentlicher Merkmale dieses Reiches.

Im *Gleichnis vom Sämann, von der Saat und den verschiedenen Böden* (Mt 13,3-23) zeigt Jesus, dass dieses Zeitalter durch das Säen einer Saat gekennzeichnet sein wird, die er als das *„Wort“* Gottes (Lk 8,12) bezeichnet, durch einen Sämann, der er selbst ist, und schließlich durch ein Säen derer, die er zu diesem Dienst beruft. Die Aussaat soll auf der ganzen Welt erfolgen. Israel wird nicht länger der vornehmliche Empfänger der Botschaft sein, wie es im Alten Testament und während des Dienstes der Apostel in den Evangelien und den ersten Kapiteln der Apostelgeschichte war. Auf diese Aussaat wird es verschiedene Reaktionen geben, abhängig von der inneren Haltung der Empfänger. So wird die weltweite Verbreitung der Wahrheit, die Jesus offenbarte, das erste Kennzeichen dieses Zeitalters sein.

Jesus offenbarte ein weiteres bedeutsames Merkmal durch das *Gleichnis vom Unkraut des Ackers* (Mt 13,24-30). In diesem Gleichnis enthüllte er, dass Satan versuchen wird, den Plan Gottes zu durchkreuzen und sein vermeintliches Recht auf Herrschaft auszuüben, indem er Unkraut unter die gute Saat sät, die der Sämann gesät hat. Satan hat sich stets Gottes Recht auf Herrschaft widersetzt und versucht, diese selbst auszuüben. In dieser neuen Form des Reiches wird Satan aktiv versuchen, die Ausübung von Gottes souveräner Autorität zu verhindern. Da Satan ein Nachahmer ist, hat das Unkraut, das er sät, eine täuschende Ähnlichkeit mit Weizen. Es ist bis zum Zeitpunkt der Ernte nicht möglich, zwischen dem Weizen und dem Unkraut zu unterscheiden. Weizen kann am Korn erkannt werden, das es hervorbringt; das Unkraut (vielleicht Lolch) bringt kein brauchbares Korn hervor. So muss jemand, der an der Arbeit des Herrn im gegenwärtigen Zeitalter mitwirkt, mit dem Widerstand Satans rechnen.

Die bisherigen Gleichnisse haben von der äußeren Entwicklung des Reiches gehandelt. Nun befasste sich Jesus in zwei Gleichnissen mit den inneren Kennzeichen des Reiches.

Im *Gleichnis vom Aufwachsen der Saat* (Mk 4,26-29) lenkte Jesus die Aufmerksamkeit darauf, wie tatsächliche Saat keimt und wächst aufgrund des innewohnenden Lebens. Jesus sagte: Wenn die neue Form des Reiches durch das Aussäen der Saat, nämlich Gottes Wort, eingeführt wird, wird sich dieses Reich auf ähnliche Weise durch die Kraft in der gesäten Saat entwickeln. So wie die Arbeit eines Sämanns beendet ist, wenn die Saat in der Erde liegt, wird die Verantwortung des Verkündigers enden, wenn die Botschaft gesagt worden ist. Das Wachsen des Reiches wird nicht von menschlichem Handeln, sondern von der Kraft des verkündeten Wortes abhängen.

Im *Gleichnis vom Senfkorn* offenbarte Jesus, dass sein Reich einen unscheinbaren Anfang nehmen, aber in großem Maße wachsen wird. Die Senfpflanze ist eine einjährige Pflanze, die in nur einer Saison zur Größe eines Baumes heranwachsen kann. So kann sie zu einer Zuflucht für die Vögel werden, die sich auf ihre Zweige setzen. Jesu Betonung lag hier darauf, die Größe des Senfkorns und die der Pflanze, die aus diesem Samen erwächst, einander gegenüberzustellen. Die neue Form des Reiches begann im Wesentlichen mit elf Männern. Aus diesem unbedeutenden Anfang wuchs das Reich so immens, dass man beim Abschluss der Apostelgeschichte sagen konnte, dass die ganze Welt das Evangelium gehört hatte (vgl. Röm 1,8; Kol 1,6).

Im *Gleichnis vom Sauerteig*, der unter eine große Menge Mehl gemischt wurde, lehrte Jesus, dass die neue Form des Reiches seit ihrem Beginn das gegenwärtige Zeitalter unwiderruflich und beharrlich durchdringt. Wie der dem Mehl zugefügte Sauerteig so lange weiterarbeitet, bis die Mischung zum Backen im Ofen bereit ist, arbeitet sich die Botschaft vom Reich, ab dem Moment, in dem sie verkündigt wird, kontinuierlich durch das Zeitalter hindurch.

In den *Gleichnissen vom verborgenen Schatz und von der Perle* offenbarte Jesus Gottes Absicht für das Reich im gegenwärtigen

Zeitalter. Seine Betonung lag auf dem Wert des Schatzes und der Perle, die die Käufer durch große persönliche Opfer erlangten. Durch seinen Tod musste Jesus zur Sühne für die Sünden der Welt sterben. Als Ergebnis von Jesu sühnender Tat wurde die Welt mit Gott versöhnt (2Kor 5,18-19). Gottes Plan im gegenwärtigen Zeitalter ist es, für sich einen Schatz zu erwerben. Da das Feld oder der Acker in der Heiligen Schrift häufig ein Bild für Israel ist, mag das Gleichnis vom im Acker verborgenen Schatz vielleicht betonen, dass Gott sich während des gegenwärtigen Zeitalters einige aus Israel bewahren wird (Röm 11,5). Da die Perle aus dem Meer stammt und das Meer in der Heiligen Schrift oft die Heidenvölker repräsentiert (vgl. Jes 57,20), könnte das zweite Gleichnis betonen, dass Gott sich viele aus den Heidenvölkern zu seinem Eigentum berufen wird. Das ist die Grundlage der Lehre des Paulus über das Wesen der Gemeinde in Epheser 2,11-22.

Das *Gleichnis vom Fischnetz* offenbart, dass am Ende dieses Zeitalters ein Gericht die Guten von den Bösen und die Nützlichen von den Nutzlosen trennen wird, ebenso wie ein Fischer seinen Fang aufteilt. Vor der Errichtung des Tausendjährigen Reiches wird ein Gericht stattfinden, um die Unerretteten auszuschließen und die Geretteten einzuladen, an den Freuden und Segnungen der Herrschaft Jesu teilzuhaben. Im *Gleichnis vom Hausherrn* (Mt 13,52) verglich sich Jesus mit einem, der aus seinem Vorrat die Dinge hervorholt, die im Haushalt gerade benötigt werden. Er kann altes Korn oder neues Korn hervorholen, alten Wein oder neuen Wein. Doch durch das, was er nimmt, trifft er genau das, was gebraucht wird. Jesus offenbarte in diesen Gleichnissen, dass die neue Form des Reiches in einigen Aspekte wie die bisherige ist; andere Aspekte aber sind völlig neu. Die Tatsache, dass es ein Reich geben wird, wurde im Alten Testament offenbart; ein neuer Aspekt war, dass es auf der ganzen Welt verkündet wird. Das Reich im Alten Testament war für Israel, auch wenn Heiden in ihm gesegnet werden sollten. Doch eine neue Wahrheit war, dass Juden und Heiden gleichermaßen an dieser neuen Form des Reiches teilhaben sollten. So finden wir in der neuen Form des Reiches einige Eigenschaften, die denen der alten Form ähnlich sind; doch wir entdecken auch andere Eigenschaften, die in der neuen Form einzigartig sind.

Ermahnung angesichts der Wiederkunft Jesu, um das Tausendjährige Reich zu errichten

Als Antwort auf die Frage der Jünger über die Hinweise, die das Ende der Zeiten und das Kommen Jesu ankündigen, zählte der Herr viele Zeichen auf (Mt 24,4-26), die ihre Erfüllung in den sieben Jahren der Drangsal finden. Diese Zeichen werden gegeben, um ein ungehorsames Volk in Bereitschaft zu versetzen, denn ihm wird das Reich beim Nahen des Richters erneut angeboten werden (V. 14). Um die Wichtigkeit dieser Zeichen zu betonen, erzählte Jesus das *Gleichnis vom Feigenbaum* (V. 32-35). So wie die ersten neuen Triebe an einem Feigenbaum oder irgendeinem anderen Baum (Lk 21,29) die Ankunft des Frühlings anzeigen und das Kommen des Sommers verkünden, so wird das Erscheinen dieser Zeichen das Volk Israel im Blick auf das bedeutende Ereignis warnen, das sie ankündigen: die Wiederkunft des Messias.

Die Reaktionen, die diese Zeichen hervorrufen, werden in mehreren kurzen Gleichnissen offenbart. Im *Gleichnis vom Türhüter* (Mk 13,33-37) betonte Jesus, dass der Knecht, dem die Aufgabe zukam, am Tor Wache zu halten, diese Aufgabe treu ausführen soll, weil er nicht weiß, wann der Hausherr wiederkommen wird. Es ist die Aufgabe dieses Knechts, fleißig und ohne Unterbrechung Wache zu halten. So betonte Jesus in diesem Gleichnis die Treue angesichts seiner plötzlichen Wiederkunft.

Im *Gleichnis vom wachsamen Hausherrn* (Mt 24,42-44) betonte Jesus erneut Wachsamkeit und Bereitschaft. Wenn ein Dieb mitteilte, wann er käme, um ein Haus auszurauben, bräuchte der Eigentümer seinen Haushalt bis zur festgesetzten Stunde nicht zu schützen. Weil jedoch ein Dieb seinen Einbruch nicht ankündigt, ist jederzeit mit ihm zu rechnen; und der Eigentümer des Hauses muss ständig auf der Hut sein. Mit diesem Gleichnis betonte Jesus die Notwendigkeit, bereit und treu zu sein im Hinblick auf die unerwartete Wiederkunft des Messias.

Im *Gleichnis vom treuen und untreuen Knecht* (Mt 24,45-51) betonte Jesus, dass für die übertragenen Aufgaben Treue nötig ist im Hinblick auf das Nahen der Wiederkunft des Herrn, wie es in den Zeichen angekündigt wird. Ein kluger Knecht wird die zugewiesenen Aufgaben ausführen; doch ein törichter Knecht wird die zugewiesenen Pflichten vernachlässigen und sein Leben damit verbringen, sich den fleischlichen Begierden hinzugeben. Solch ein treuloser Knecht wird von den Freuden des Reiches ausgeschlossen werden, wenn der Meister zurückkehrt. So ermahnte Jesus in diesen kurzen Gleichnissen zu Wachsamkeit, Bereitschaft und Treue im Hinblick auf seine Wiederkunft.

Ereignisse, die auf die Errichtung des Tausendjährigen Reiches vorbereiten

In den Gleichnissen, die sich auf das gegenwärtige Zeitalter beziehen, offenbarte Jesus, dass dieses Zeitalter im Gericht enden wird. In den umfangreichen Gleichnissen in Matthäus 25 jedoch eröffnete Jesus Einzelheiten über dieses Gerichtsprogramm.

Gericht über Israel bei Jesu Wiederkunft

Nach dem zweiten Kommen Jesu auf die Erde (Mt 24,30) werden Engel das dann bestehende Israel von den vier Enden der Erde wieder sammeln, an die es während der Drangsalszeit verstreut wurde (V. 31). Es wird in das Land zurückgebracht, das Abraham durch einen Bund erhalten hat (1Mo 12,7). Das Alte Testament stellt klar, dass Reue und Wiederherstellung zur Gemeinschaft mit Gott die Voraussetzung für den Genuss der Segnungen des Reiches ist; denn Israel hatte gegen Gott gesündigt. So wurde offenbart, dass kein unerretteter Mensch in das verheißene Reich eingehen kann. Dieses Gericht über das dann lebende Israel wird im *Gleichnis von den klugen und törichten Jungfrauen* beschrieben (Mt 25,1-13). Unmittelbar vor diesem Gleichnis hatte Jesus seine Hörer dazu ermahnt, wachsam, treu und bereit zu sein. Dieses Gleichnis von den klugen und den törichten Jungfrauen lehrt, dass es ein Gericht geben wird, um die Bereitschaft derer zu prüfen, die zur Zeit des zweiten Kommens in Israel leben. Die Jungfrauen der orientalischen Hochzeit gehören zu den Gästen beim Festmahl, die hier der Braut, die mit dem Bräutigam erscheint, gegenübergestellt werden. Es erging die Einladung an das Volk, sich darauf vorzubereiten, in das nahe bevorstehende Tausendjährige Reich einzugehen (Mt 24,14). Das Volk wurde nun versammelt, und man erwartete, dass es sich am Hochzeitsmahl erfreut; dieses Bild hat der Herr für das Tausendjährige Reich gewählt. Als die Ankündigung erging, dass sich der Bräutigam näherte, zündeten die versammelten Gäste ihre Lampen an, damit sie ihm entgegengehen konnten. Die Klugen waren auf die Rückkehr des Bräutigams vorbereitet und hatten zusätzliches Öl mitgebracht, um ihre Lampen nachzufüllen. Die Törichten hatten keine Vorkehrungen getroffen und waren daher unvorbereitet, als der Bräutigam zurückkam. Die vorbereiteten Gäste wurden zum Festmahl zugelassen. Die unvorbereiteten Gäste versuchten, sich nachträglich zu versorgen, doch sie fanden die Tür zum Festsaal verschlossen; ihnen wurde der Zutritt verweigert. So lehrte Jesus in diesem Gleichnis, dass das bei seiner Wiederkunft lebende Israel zurück ins Land gebracht wird, damit im Gericht geprüft wird, wer vorbereitet ist und wer nicht.

Diejenigen, die vorbereitet sind, werden zu dem Tausendjährigen Reich des Messias zugelassen, doch die Unvorbereiteten werden ausgeschlossen werden.

Gericht über die Heiden bei Jesu Wiederkunft

Im *Gleichnis von den Schafen und den Böcken* (Mt 25,31-46) offenbarte Jesus, dass Heiden zum Gericht versammelt werden. Sie werden in zwei Gruppen eingeteilt. Diejenigen, die als Schafe gelten, werden in das Reich aufgenommen; doch diejenigen, die Böcke genannt werden, sind von ihm ausgeschlossen. Die Schafe werden aufgrund dessen, was sie für Jesus getan haben, willkommen geheißen. Als Antwort auf die Überraschung derer zu seiner Rechten erklärte Jesus, dass die Behandlung, die seinen Brüdern zuteilwurde, an ihm geübt wurde. Der Begriff *„Brüder"* (Mt 25,40) scheint sich entweder auf das Volk Israel als Ganzes zu beziehen oder auf die Erwählten aus Israel (Offb 7), die das Evangelium während der Drangsalszeit verkünden werden. Sie werden nicht wegen ihrer Werke angenommen, denn kein Mensch wird durch seine Werke gerettet; vielmehr werden ihre Werke die Echtheit ihres Glaubens beweisen. Indem sie einen Glauben gezeigt haben, der sich durch Werke als echt erwies, werden sie in das Reich aufgenommen. Umgekehrt haben diejenigen zur Linken keine Werke hervorgebracht, und dieser Mangel offenbart das Fehlen ihres Glaubens. Darum werden sie aus dem Reich ausgeschlossen. In diesem Gleichnis erläuterte Jesus die Prüfungen, die den Heiden zukommen, um den Zustand ihrer Bereitschaft als Einzelne zu belegen. Die zur Rechten werden in das Reich aufgenommen werden, doch die zur Linken werden aus dem Reich ausgeschlossen. So wird in diesen zwei Gerichten die ganze Welt in Vorbereitung der Errichtung des Tausendjährigen Reiches geprüft und gerichtet.

Gericht zur Belohnung

Im *Gleichnis von den anvertrauten Talenten* (Mt 25,14-30) offenbarte Jesus, dass es ein Gericht vor dem Tausendjährigen Reich gibt, um die Treue des Einzelnen zu prüfen. Ein Hausherr teilte seinen Knechten Aufgaben zu, für die sie verantwortlich gemacht wurden. Bei seiner Rückkehr zog er die Knechte zur Rechenschaft. Den Treuen wurden verantwortungsvolle Posten in der Verwaltung ihres Herrn übertragen. Ein untreuer Knecht wurde des Hauses verwiesen und von jeder Aufgabe entbunden.

Jesus offenbarte in diesem Gleichnis, dass nicht nur die persönliche Bereitschaft, sondern auch die eigene Treue geprüft wird. Die Untreuen werden ihren Mangel an Glauben durch ihre Untreue zeigen und aus dem Reich ausgeschlossen. Durch Treue werden andere ihren Glauben beweisen, und nicht nur in das Reich aufgenommen, sondern ihnen werden auch Verantwortlichkeiten übertragen für das kommende Zeitalter des Reiches.

Diese Gerichte werden also eine Vorbereitung im Blick auf das Tausendjährige Reich sein. Die Gottlosen werden aus dem Reich ausgeschlossen, und die Gerechten werden aufgenommen. Jesus sprach auch von Gerichten, als er unmittelbar vorher sagte: *„Dann werden zwei auf dem Feld sein, einer wird [ins Gericht weg-]genommen und einer gelassen [um ins Reich des Messias einzugehen]; zwei [Frauen] werden an dem Mühlstein mahlen, eine wird [ins Gericht weg-]genommen und eine gelassen [um ins Reich einzugehen]"* (Mt 24,40-41). Es wird auch ein Gericht geben, um die Treuen zu belohnen. Diese Belohnung werden sie während der Tausendjährigen Herrschaft des Messias genießen.

Das Leben im Reich

Die Gleichnisse haben sich bisher mit dem Programm des Reiches befasst. In ihnen lehrte Jesus über sein Angebot des Reiches, über das bevorstehende Gericht über die damalige Generation aufgrund ihrer Ablehnung des Reiches und über die neue Form des Reiches. Jesus ermahnte im Hinblick auf sein Kommen und skizzierte die Ereignisse, die der Errichtung des messianischen Reiches vorausgehen. Viele Gleichnisse waren an die Jünger gerichtet, um sie über das Leben im Reich zu unterweisen. Diese Gleichnisse offenbaren, was der König von seinen Untertanen erwartet.

Gehorsam

Im *Gleichnis von den ungleichen Söhnen* (Mt 21,28-32) lehrte Jesus, dass Gehorsam ein Nachweis für Sohnschaft ist. Dieses Gleichnis war der Lehre der Pharisäer entgegen, dass alle von Abrahams leiblichen Nachkommen kraft ihrer Verwandtschaft mit dem Patriarchen bereits im Reich seien. Im vorliegenden Gleichnis offenbarte Jesus, dass das Recht eines Menschen, in das Reich einzugehen, nicht durch seine Stellung, sondern durch seinen Gehorsam dem König gegenüber bestimmt wird. Gehorsam wird nicht nur ein Eignungstest sein, sondern auch von denen erwartet, die im Reich sind. Sie müssen sich der Herrschaft des Königs unterwerfen.

Liebe

Im Laufe seines Lebens auf der Erde hatte Jesus die Barmherzigkeit Gottes gegenüber den Armen, den Kranken, den Trauernden, den Ausgestoßenen und den Sündern vorgestellt. Barmherzigkeit, wie er sie an den Tag legte, müssen diejenigen zeigen, die seine Untertanen im Reich sind. Im *Gleichnis von den zwei Schuldnern* (Lk 7,41-50) lehrte Jesus die Grundlage für die Liebe. Dieses Gleichnis wurde im Haus eines Pharisäers erzählt, wo eine Sünderin ihre Hingabe an Jesus sehr eindrücklich zum Ausdruck brachte. Der Pharisäer konnte weder verstehen, warum die Frau Jesus liebte, noch warum er solche Beweise ihrer überschwänglichen Hingabe akzeptierte. Im Gleichnis erzählte Jesus von zwei Schuldnern, denen vergeben worden war: dem einen eine große Schuld, dem anderen eine kleine. Jesus fragte den Pharisäer, wer den Gläubiger nun am meisten lieben würde. Die offensichtliche Antwort lautete: Derjenige, dem am meisten vergeben worden ist. Jesus erklärte dem Pharisäer in diesem Gleichnis, warum die Frau ihn liebte. Sie war eine stadtbekannte Sünderin, der viel vergeben worden war. Das Gleichnis beantwortete auch die Frage des Pharisäers, warum Jesus ihre Hingabe akzeptierte. Die Antwort lautete: Ihre Hingabe entsprach der Liebe, die die Vergebung in ihr bewirkt hatte.

Von diesem Gleichnis lernen wir also, dass Liebe für Jesus von dem gezeigt werden wird, der seine barmherzige Vergebung erfahren hat. Außerdem sehen wir, dass Jesus diese Liebe akzeptiert, wenn sie von jemandem kommt, der seine Vergebung empfangen hat.

Im *Gleichnis vom barmherzigen Samariter* (Lk 10,30-37) entdecken wir, dass Barmherzigkeit ein Ausdruck der Liebe ist, die unserem Nächsten erwiesen werden soll. Aus dem Gleichnis lernen wir, dass unser Nächster jeder ist, der Not leidet, dessen Not wir kennen und dessen Not wir abhelfen können. Die Tatsache, dass Jesus dem Gesetzesgelehrten gebot zu gehen und zu tun, was der Samariter getan hatte, offenbart, dass solch eine Barmherzigkeit ein Kennzeichen derer ist, die im Reich sind, denn es ist eine Erfüllung der Gerechtigkeit, die vom Gesetz gefordert wird. Die Untergebenen des Königs im Reich müssen also nicht nur Gott gegenüber Liebe zeigen wegen der Vergebung, die sie empfangen haben, sondern auch ihren Nächsten gegenüber.

So muss das Leben im Reich die Anforderungen des Gesetzes erfüllen, in dem es heißt: „*‚Du sollst den Herrn, deinen Gott, lieben aus deinem ganzen Herzen und mit deiner ganzen Seele und mit deiner ganzen Kraft und mit deinem ganzen Verstand und deinen Nächsten wie dich selbst*‘“ (Lk 10,27.) Die zwei Gleichnisse, die von der Liebe handeln, beschreiben also ein wichtiges Kennzeichen des Lebens im Reich.

Gebet

Gebet ist in erster Linie ein Akt der Anbetung, in dem der Betende sich der Autorität dessen unterstellt, an den das Gebet gerichtet ist. Durch Gebet zeigt man vollkommene Abhängigkeit von dem Einen, an den man sich wendet. Diese Tatsachen über das Gebet legen nahe, dass es eine wichtige Rolle im Leben des Reiches spielen wird.

Die Grundlage des Gebets. Im *Gleichnis vom Pharisäer und dem Zöllner* (Lk 18,9-14) offenbarte Jesus die Grundlage, auf der man Gott im Gebet nahen kann. Der Pharisäer dachte, er könne Gott aufgrund seiner Werke nahen, und so wiederholte er in seinem Gebet ständig die Beweise seiner Gerechtigkeit. Doch diese werden nicht als Grundlage anerkannt, auf der man zu Gott kommen kann. Andererseits erkannte der Zöllner, dass es in ihm nichts gab, was ihn vor Gott annehmbar machen konnte. Er blickt zu Boden und schlug sich an die Brust, um sich zu demütigen. Aus Glauben stellte er sich unter das sühnende Blut, das am Versöhnungstag ins Allerheiligste gebracht wurde und unter dem Sünder Zuflucht suchen konnten. Weil der Zöllner sich unter das Blut stellte, sagte Jesus: *„Dieser ging gerechtfertigt hinab in sein Haus“* (Lk 18,14). So lehrte Jesus in diesem Gleichnis, wie Menschen sich Gott im Reich nähern, um Anbetung, Lobpreis, Dank, Bitte und Fürbitte darzubringen.

Beharrlichkeit im Gebet. In verschiedenen Gleichnissen lehrte Jesus die Notwendigkeit, beharrlich zu sein, um eine Antwort auf das Gebet zu erhalten. Im *Gleichnis vom ungerechten Richter* (Lk 18,18) zeigt Jesus, dass selbst ein hartherziger, gleichgültiger Richter durch die Beharrlichkeit einer Witwe dazu bewegt werden kann, ihre Bitte zu erfüllen. Der Richter wurde weder durch die

Rechtmäßigkeit ihres Anspruchs bewegt, noch hatte er Mitleid mit ihr. Er erfüllte ihre Bitte wegen ihrer Beharrlichkeit. In dem *Gleichnis vom beharrlichen Freund* (Lk 11,5-13) hatte Jesus dieselbe Wahrheit betont. Gastfreundschaft legte dem Gastgeber eine Verantwortung auf, die er wegen der vorgerückten Stunde zu erfüllen nicht in der Lage war; doch der Gastgeber wusste, wie er der Not abhelfen konnte, und bat seinen Freund um Hilfe. Wegen der späten Stunde weigerte sich der Freund zunächst, den gesamten Haushalt zu wecken, um der Bitte nachzukommen. Doch der Gastgeber war beharrlich, bis der Not abgeholfen wurde. Jesus wandte dies folgendermaßen an (mit einer wörtlichen Übersetzung von Lk 11,9): *„Bittet beharrlich, und es wird euch gegeben werden; sucht beharrlich, und ihr werdet finden; klopft beharrlich an, und die Tür wird euch geöffnet werden. Denn jeder, der beharrlich bittet, empfängt; wer beharrlich sucht, findet; und dem, der beharrlich klopft, wird die Tür geöffnet werden."*

Dieses Gleichnis enthält eine Definition von Fürbitte. Derjenige, der die Bitte an den Freund richtete, war selbst nicht in Not; vielmehr repräsentierte der Bittende einen anderen, der in Not war. Ein Fürbitter ist also ein Vermittler, der zwischen dem Notleidenden steht und dem, der der Not abhelfen kann. Ein Fürbittegebet ist also vollkommen selbstlos, denn es befasst sich mit Bitten für die Nöte anderer. Solch ein selbstloses Fürbittegebet wird ein Merkmal des Lebens im Reich sein.

Der Gebrauch des Reichtums

Die Pharisäer hielten Reichtum für ein sicheres Zeichen des Segens Gottes. Sie waren bestrebt, materiellen Reichtum zu erlangen, um sich ihrer Gerechtigkeit und Annahme bei Gott zu versichern. Es war Jesus wichtig, diese falsche Haltung dem Reichtum gegenüber zu korrigieren. Indem Jesus Gleichnisse über die Verwendung des Reichtums erzählte, offenbarte er Merkmale des Lebens im Reich.

1. Der Gebrauch gegenwärtiger Möglichkeiten. Im *Gleichnis vom klugen Verwalter* (Lk 16,1-13) betonte Jesus, dass ein Gerechter eine Verwalterschaft nicht selbstsüchtig missbraucht, indem er nur ans Heute denkt; stattdessen wird er weise und im Blick auf eine zukünftige Abrechnung der Verwalterschaft handeln. Jesus stellte das wie folgt im Gleichnis dar: Als die Untreue eines Verwalters den Verlust seiner Vorrechte nach sich zog, nutzte er die Stellung, die er noch hatte, nicht für den selbstsüchtigen Genuss im Heute, sondern weise im Blick auf die Zukunft. Indem er die Lasten der Schuldner seines Herrn verringerte, gewann er deren Wohlwollen für sich. Jesus billigte nicht das betrügerische Verhalten des Verwalters, aber er lobte ihn für die Weisheit im Gebrauch seiner gegenwärtigen Möglichkeiten im Blick auf die Zukunft.

Jesus wandte dieses Prinzip auf den Gebrauch des Reichtums an. Er fragte: *„Wenn ihr nun mit dem ungerechten Mammon nicht treu gewesen seid, wer wird euch das Wahrhaftige anvertrauen?“* (Lk 16,11). So lehrte Jesus, dass ein Merkmal des Lebens im Reich der weise Gebrauch materiellen Besitzes ist.

2. Die zeitlich begrenzte Natur materieller Dinge. Im *Gleichnis vom reichen Mann und armen Lazarus* (Lk 16,19-31) lehrte Jesus, dass materieller Reichtum nicht dauerhaft, sondern nur vorübergehend besteht. Der Reiche, der starb, ließ all seine Besitztümer zurück. Seine Seele existierte weiter, doch das Ende seines irdischen Lebens bedeutete, dass sein materieller Reichtum ihm keinen Nutzen mehr brachte. Das Gleichnis lehrt außerdem, dass Reichtum keine Grundlage für die Errettung ist. Zweifellos war der Reiche in der pharisäischen Lehre unterwiesen worden, die ihn darauf hoffen ließ, wegen seines Reichtums für Gott annehmbar zu sein. Das Gleichnis zeigt, dass der arme Bettler angenommen wurde, nicht aber der reiche Mann. Das führt zur Schlussfolgerung, dass ein Reicher nach biblischem Verständnis niemand ist, der große materielle Güter besitzt, sondern jemand, der das liebt, was Gott gegeben hat und auf ihn zu seiner Rettung vertraut. Das Gleichnis offenbart auch, dass Armut – im Gegensatz zum pharisäischen Verständnis – nicht notwendigerweise ein Beweis für Gottes Missfallen oder eine Strafe für Sünde ist. Der Bettler wurde nicht in den Himmel aufgenommen, weil er arm war, aber seine Armut war kein Hindernis für seinen Zugang zu wahrem Reichtum.

3. Der Lohn der Habgier. Das *Gleichnis vom reichen Kornbauern* (Lk 12,16-21) zeigt, dass die Verwendung des Reichtums offenbart, ob jemand rechtschaffen ist oder nicht. Das Gleichnis handelt von einem reichen Mann, dessen Reichtümer durch eine reiche Ernte noch stark vermehrt wurden. Die umfangreiche Ernte hätte es dem Mann möglich gemacht zu zeigen, dass er die Gerechtigkeit des Gesetzes erfüllte, indem er seinen Reichtum unter seinen Nächsten in Not aufteilte. Doch er weigerte sich, so zu handeln, und legte die Güter zu seinem eigenen Gebrauch beiseite. Durch solch einen Umgang mit seinem Reichtum zeigte der Mann, dass er gemäß der Anforderungen des Gesetzes nicht rechtschaffen war. So betonte Jesus in dem Gleichnis, dass Reichtum während dieses Lebens in rechter Weise eingesetzt werden muss, wenn er irgendwelche Vorteile für das kommende Leben bereiten soll.

Treue

Das *Gleichnis vom treuen und klugen Verwalter* (Lk 12,42-48) betont, dass aus einem Vorrecht eine Verantwortung erwächst, und dass Verantwortung Pflicht nach sich zieht. Wenn jemand in eine Stellung mit Verantwortung berufen wird und diese missbraucht, wird er seine Autorität verlieren. Wenn Paulus lehrte: „*Übrigens sucht man hier an den Verwaltern, dass einer treu befunden wird*" (1Kor 4,2), wiederholte er die Wahrheit, die Jesus in diesem Gleichnis aussprach. Treue gegenüber den Vorrechten und Pflichten wird ein Merkmal des Lebens im Reich sein.

Demut

Im *Gleichnis von den Plätzen beim Hochzeitsfest* (Lk 14,7-11) warnte Jesus davor, sich um Vorrang für sich selbst zu bemühen. Wahre Ehre besteht nicht in dem, was man sich selbst verleiht, sondern was einem andere als Anerkennung der Würdigkeit verleihen. Deshalb gebot Jesus, man solle als Zeichen der Demut einen weniger angesehenen Platz einnehmen und es dem Gastgeber überlassen, die Ehre dem zu geben, der sie verdient.

In den *Seligpreisungen* (Mt 5,3-12) nannte Jesus die Kennzeichen gerechter Menschen. Von den Eigenschaften, die das Leben im Reich kennzeichnen, wie sie in den Gleichnissen offenbart werden, sehen wir, dass diese Kennzeichen – die auch die Seligpreisungen nennen –, bei den Bürgern des Reiches zu finden sind.

Auf diese Weise entwickle ich also die Lehre von der Gottesherrschaft des Reiches aus den Gleichnissen, indem ich folgende Aspekte berücksichtige:

1. das Angebot durch Jesus;
2. seine Zurückweisung durch Israel;
3. der Aufschub des Reiches auf eine zukünftige Zeit;
4. das daraus resultierende Urteil über die Generation, die Jesu Angebot zurückgewiesen hat;
5. die neue Form der Gottesherrschaft, die im gegenwärtigen Zeitalter entwickelt werden soll;
6. die Ereignisse, die der Errichtung des kommenden messianischen Reiches vorausgehen;
7. die Eigenschaften derer, die im Reich sind.

So beten wir nun: „*Komm, Herr Jesus.*“

Die „Verstehen“-Reihe

Charles C. Ryrie
Die Bibel verstehen

Charles Ryrie erklärt die grundlegenden Themen Systematischer Theologie im Kontext der Heiligen Schrift (Gott, Bibel, Engel, Teufel, Mensch, Sünde, Gemeinde usw.). Für Bibelleser, Gemeindemitarbeiter, Bibelschüler u. a.

Gb., 608 S., 15 × 22,6 cm
Best.-Nr. 271628
ISBN 978-3-86353-628-2

J. Dwight Pentecost
Prophetie verstehen
Methode, Geschichte und Praxis ihrer Auslegung

Soll man biblische Prophetie wörtlich oder bildlich auslegen? Vor dieser Frage steht, wer sich mit prophetischen Texten beschäftigt. Dieses Buch zeigt einen begründeten Standpunkt auf.

Gb., 144 S., 13,5 × 20,5 cm
Best.-Nr. 273641
ISBN 978-3-89436-641-4

Helge Stadelmann / Berthold Schwarz
Heilsgeschichte verstehen
Warum man heilsgeschichtlich denken sollte, wenn man die Bibel nicht missverstehen will

Warum heilsgeschichtlich denken? Das Buch bietet einen historischen Abriss heilsgeschichtlicher und dispensationalistischer Betrachtungsweise, beleuchtet die lehrmäßigen Grundlagen und zeigt ihre Bedeutung für die Auslegung auf.

Gb., 240 S., 13,5 × 20,5 cm
Best.-Nr. 271927
ISBN 978-3-86353-927-6

Charles C. Ryrie
Die Offenbarung verstehen
Durchblick und Klarheit für das faszinierendste Buch der Bibel

Anhand von verständlichen Erklärungen sowie übersichtlichen Tabellen und Grafiken soll dem Leser der Zugang zu dem Buch mit sieben Siegeln erleichtert werden.

Gb., 176 S., 13,5 × 20,5 cm
Best.-Nr. 271926
ISBN 978-3-86353-926-9

Wiersbe-Kommentar AT und NT

Warren Wiersbe hat ein praktisches Anliegen: Er möchte gläubigen Christen die Bücher der Bibel auf eine Weise nahebringen, die sie auf das Wesentliche für ihr persönliches Glaubensleben stoßen lässt. Durch seine lebensnahen Ausführungen zu den biblischen Ereignissen, Schlüsselbegriffen und Personen gelingt es dem erfahrenen Bibelausleger und Gemeindepastor, eine Brücke aus längst vergangener Geschichte zum heutigen Leser zu schlagen. Dieser erlebt auf eindrucksvolle Weise, wie die alten Texte in sein Leben hineinsprechen und ihm Weisung geben für ein Leben, das Gott gefällt.

In seinen Kommentaren geht Warren Wiersbe immer nach demselben Muster vor:

1. Berücksichtigung eines übergeordneten Themas
2. Übersichtliche Gliederung des bibl. Buches und des Kommentars
3. Berücksichtigung aller Bibeltexte bei der Kommentierung
4. Arbeitsteil mit Fragen zu jedem Kapitel
5. Umfangreiche Anmerkungen zu Details / Hintergründen

Nicht nur Bibelgelehrte, Gemeindeleiter und Mitarbeiter, sondern auch einfache Bibelleser kommen auf diese Weise zu einem tiefgehenden Verständnis sämtlicher Bücher der Bibel.

Warren W. Wiersbe war ein weltweit anerkannter Bibelausleger und Redner. Er war Autor und Herausgeber von mehr als 150 Büchern und ermutigte Christen in der ganzen Welt. Er verstarb im Mai 2019.

AT Band I
1. Mose bis Esther
Gb., 2352 S., 15 × 22,6 cm
Best.-Nr. 271346
ISBN 978-3-86353-346-5

AT Band II
Hiob bis Maleachi
Gb., 2016 S., 15 × 22,6 cm
Best.-Nr. 271347
ISBN 978-3-86353-347-2

NT Band I
Matthäus bis Apostelgeschichte
Gb., 1152 S., 15 × 22,6 cm
Best.-Nr. 271371
ISBN 978-3-86353-371-7

NT Band II
Römer bis Thessalonicher
Gb., 976 S., 15 × 22,6 cm
Best.-Nr. 271372
ISBN 978-3-86353-372-4

NT Band III
Timotheus bis Offenbarung
Gb., 936 S., 15 × 22,6 cm
Best.-Nr. 271373
ISBN 978-3-86353-373-1

Markus Wäsch

Visionen einer besseren Welt

Wie Jesus das Reich Gottes sieht

Die Welt ist herrlich, das Leben, die Lust ... Und die tatsächliche Lage? Die sieht düsterer aus, als viele es wahrhaben wollen. Kein Tag ohne Nachrichten von Kriegen, Armut und anderen Nöten. Die Welt müsste dringend saniert werden. Aber wie?
Dieses Buch geht acht Gleichnissen nach, die Jesus erzählt hat. Beispielgeschichten, Bildreden, Visionen. Darin ist die Rede von Gottes Reich. Die Texte platzen hinein in dein und mein Leben, meinen uns.

Pb., 160 S., 11 × 18 cm
Best.-Nr. 271447
ISBN 978-3-86353-447-9

Mark Hitchcock
Himmlische Belohnungen
Leben im Licht der Ewigkeit

Der Tag des Gerichts wird kommen, an dem jeder einst vor Gott stehen und seinen Lohn für seine Taten empfangen wird. Wenn Sie Christ sind, ist die gute Nachricht, dass es bei Gottes „Urteil" nicht darum geht, Ihre Errettung zu bestimmen. Es geht darum, Ihre Treue zu belohnen. Die Errettung kann nicht verdient werden, sie gehört Ihnen bereits. Mark Hitchcock zeigt, dass Ihre Arbeit und Ihre Opfer für den Herrn nie vergeblich sind. Die Treue dem Herrn gegenüber bleibt nie fruchtlos.

Pb., 224 S., 13,5 × 20,5 cm
Best.-Nr. 271704
ISBN 978-3-86353-704-3